Gladys et Vova

Emmanuelle Caron

Gladys et Vova

Médium
l'école des loisirs
11, rue de Sèvres, Paris 6ᵉ

Du même auteur à *l'école des loisirs*

Collection MÉDIUM

Eugénia et la bouche de la vérité
Eugénia et le crépuscule des fées

© 2013, *l'école des loisirs, Paris*
Loi n° 49.956 du 16 juillet 1949 sur les publications
destinées à la jeunesse : avril 2013
Dépôt légal : avril 2013
Imprimé en France par CPI Firmin Didot
à Mesnil-sur-l'Estrée (117388)

ISBN 978-2-211-21193-2

Pour Jérémy, mon frère,
et pour Ingrid, ma presque sœur

Une pensée particulièrement tendre pour
Marwa, et un grand remerciement à Chloé

I
L'OURS ET LA POUPÉE

CHAPITRE 1
Il était deux fois

L'histoire des jumeaux Gladys et Vova, bien avant l'orphelinat, bien avant leur arrivée à Paris et bien avant leur rencontre avec Varvara, les Baldessari et Bao Van Bui, commence à la manière des contes, par un « Il était une fois » dans un pays lointain. Un pays d'hiver, scintillant des reflets du soleil sur la neige, et un pays de printemps, saisi sous le jaillissement émeraude des eaux du dégel.

Ils avaient d'abord été deux bambins à la peau lisse, à la touffe blonde couronnant un visage en triangle, aux lèvres et aux joues très rouges. Ils avaient porté du linge brodé, des petits chaussons à pompons blancs au bout de leurs pieds. Ils avaient agité des hochets de bouleau souple dans leurs mains à peine écloses. Ils avaient bu le même lait, partagé la kacha* douce et la prune sucrée. Et en mangeant et en buvant, ils avaient ouvert sur le monde de grands yeux bleus parsemés d'éclats violets. Tous deux vivaient alors chez une vieille femme qui n'était pas leur mère, mais leur grand-mère, dans une maison en bois cachée par des palissades. La mémé était bonne, elle les cajolait et leur souriait de son sourire édenté. Sur son châle, de belles grosses fleurs rouges fleurissaient, qui avaient l'air de sentir bon. C'était aussi simple que ça. Leur maman ne leur manquait pas. Ils connaissaient son nom, ils savaient qu'elle travaillait à la ville. D'elle ils gardaient à peine le souvenir d'un beau visage penché sur le berceau. Chaque semaine, une petite somme parvenait de Moscou, qui suffisait aux besoins de la grand-mère et à ceux des enfants.

Quand ils surent marcher, les jumeaux purent explorer la cour. Ils manifestaient leur joie à la vue du soleil, des nuages. Les fleurs du jardinet embaumaient. Le chat Atchoum leur servait de guide dans les entrelacs des branches des arbres. Tout était occasion d'éclats de rire, de galopades.

Installée sur son tabouret de bois, la babouchka*

* Les mots suivis d'un astérisque sont repris dans le glossaire en fin d'ouvrage.

offrait son museau ridé aux rayons qui perçaient les planches du muret de son jardin, et elle était heureuse. Vova et Gladys, eux, couraient après les poules, les chats et les autres enfants du quartier. Leurs petites pattes trottinaient sans relâche. C'était bon et doux. C'était sans fin.

Longtemps, les jumeaux ne se parlèrent qu'entre eux. Par longues voyelles ponctuées de claquements de langue. La salive dégoulinait sur leurs mentons. Ils s'appelaient l'un l'autre, avides de se montrer le monde et ses merveilles.

– Glaaaaliis ! Doodaaa !

C'était leur cri de guerre et de ralliement. La mémé comprenait, elle connaissait leurs signes. Longtemps, les jumeaux ne se parlèrent qu'entre eux, et puis, un jour, ils parlèrent russe.

Ce jour-là, Mémé battit des mains en les entendant.

– *Malatsi[1] !* s'écria-t-elle.

Les jumeaux répondirent :

– *Gdié nacha mama[2] ?*

La vieille dame ne dit rien tout d'abord. Elle se contenta de baisser les yeux. Un peu plus tard, Mémé

1. Vous faites bien, vous êtes bons !
2. Où est notre mère ?

13

s'efforça d'expliquer : la mère travaillait dur. Elle ne reviendrait pas avant que les herbes soient drues, et les grains haut poussés.

Les jumeaux froncèrent leurs fronts purs et ne posèrent plus de questions. La première neige vint à tomber, et ils furent bientôt occupés à en goûter les flocons, à en savourer la piqûre fraîche. Devant le poêle, ils secouaient leurs doigts gourds et humaient l'odeur du bois brûlé, du plus large que leurs poumons pouvaient s'emplir.

Malgré leur jeune âge, Gladys et son frère Vova aidaient au mieux leur grand-mère. Ils tâchaient de porter les seaux d'eau, de nettoyer la table du repas et leurs gamelles. Quand la nuit approchait, ils s'allongeaient sur leurs grabats et, pour dispenser la mémé de raconter des histoires, ils s'en inventaient. Gladys, surtout, savait composer de fabuleux feuilletons. Son frère écoutait, le pouce dans la bouche, caressant d'une main distraite le chat lové dans un coin de sa couverture. La petite ponctuait ses récits de silences, de pointillés que son frère remplissait de son imagination. Ces soirées bruissaient de babil, de rires et de ronrons, accompagnés par le souffle du vent qui frappait aux parois des fenêtres.

Le printemps arriva, puis l'été. Les jumeaux

eurent deux ans. Et la mère ne revint pas. Chaque semaine, une carte postale leur transmettait ses vœux. De Moscou, de Kaliningrad, d'Oulan-Oude, de partout. «Maman travaille fort», répétait la babouchka en secouant la tête. Le soir, on fêtait la carte avec une soupe à l'oignon. Mémé buvait un verre d'eau-de-vie, les jumeaux un peu de lait. Nulle inquiétude, Dieu gardait les siens.

*
* *

Et puis quelque chose changea. D'abord, l'argent vint à manquer. Non pas que la vieille dame fût particulièrement dépensière. Simplement, elle ne recevait plus d'argent. La maman des jumeaux avait perdu son travail et subvenait à peine à ses propres besoins. C'est ce qu'elle écrivit vers la fin de l'automne, dans une petite carte au chromo jauni, avec vue sur la façade de la fameuse boulangerie Pribaltiyskaya de Saint-Pétersbourg. La maman ajoutait qu'elle tentait sa chance à Varsovie, qu'un bon ami l'avait recommandée pour un emploi de serveuse. Un restaurant tout ce qu'il y avait de bien. Elle enverrait des subsides, c'était promis. Un baiser pour Gladys, un baiser pour Vova. Pschitt, disparition! Seulement, au bout d'un mois, rien n'était arrivé; au bout de deux mois, non plus ; et au bout de six mois, encore moins. Plus de soupe à l'oignon, plus de petits verres. Bientôt, le lait aussi fut rationné. La babouchka dut trouver une place de vendeuse de pastèques et de courges au bazar du village. Après tout, des amies de son âge en étaient réduites aux mêmes extrémités. Dieu qui veillait leur soufflerait son aide.

Elle prit donc l'habitude de s'asseoir, entre les bacs de cassettes vidéo et le stand de tapis persans, sur son tabouret de bois, et d'étaler ses fruits et ses seaux sur une natte de paille tressée. Pendant ce temps, les jumeaux gambadaient dans les jambes des passants, se nourrissaient de fraises et de cornichons géants, jouant mille tours aux mémés, engoncées dans leurs châles en poils de chèvre, qui attendaient le client.

Il y eut encore quelques semaines de cette légèreté à déambuler dans les allées du marché et à recevoir les caresses des uns et des autres. Un jour, pourtant...

Un jour, pourtant, Vova et Gladys, qui n'avaient encore que trois ans, eurent la première mauvaise idée de leur courte existence. Eux qui n'avaient jamais fait le moindre mal, eux qui n'avaient jamais été grondés, décidèrent de tenter le diable et de le tirer par la queue. Poussés par quelque démon, ils fomentèrent un plan dont l'exécution, imaginée dans leur caboche d'enfants, leur paraissait simplissime. Depuis qu'ils sillonnaient le marché, ils étaient fascinés par l'enclos des chevaux à vendre. Un jour donc, ils se jurèrent de s'y glisser. Aussitôt dit, aussitôt fait, sans plus réfléchir, ils se faufilèrent parmi les moujiks* qui fumaient leurs Belomorkanal* et discutaient des résultats des dernières courses.

Vova, qu'un grand étalon à la robe grise resplendissante fascinait plus que tout, se fraya un chemin dans la forêt des pattes frêles des coursiers. Il voulait saisir ce grand museau de fourrure taupe et l'embrasser, comme il l'aurait fait avec sa babouchka. Gladys, sentant le danger, s'était arrêtée net près des barrières et regardait la scène en tricotant de ses petits pieds dans la boue.

Vova, tel un feu follet, tendit sa main vers le museau. Le cheval écarquilla son œil énorme, battit ses longs cils et pencha son cou vers le petit. Vova y colla sa tête et profita de cet instant suspendu de pure félicité. Son œil bleu clignota en reflétant le ciel limpide.

Tout à coup, un grand cri fendit l'air et le craquela à la manière d'un coup de ciseaux dans une toile peinte.

C'était Mémé. Ne voyant nulle part les jumeaux, elle s'était décidée à se lever de son tabouret pour inspecter les environs. Elle n'avait pas fait vingt mètres qu'elle était tombée sur la vision horrifiante de son petit miloï* perdu au milieu des sabots piaffants. Les rênes et les étriers étincelaient comme un présage de mort. De terreur, elle empoigna ses cheveux, son chignon ne fut plus qu'un grand flan renversé. Elle cria alors à pleins poumons. Son hurlement effraya les animaux, provoquant une mêlée. Les étalons se crispèrent sur leurs pattes arrière, ruèrent ; les juments hennirent. Vova, d'un coup de sabot, fut projeté contre la barrière et roula jusqu'aux pieds de sa sœur. Celle-ci fit, en le voyant dégringoler, un « oh ! », la bouche parfaitement ronde.

Le petit corps avait rebondi contre les billots. Il se redressa à croupetons et, une fois debout, crispa sa face couverte de boue d'une magnifique grimace de pleurs. Vova n'avait rien, rien d'autre que des égratignures. La mémé, en revanche, sentit l'anche de son cœur se briser en mille morceaux. Elle porta la main à sa blouse, arracha son foulard d'un geste hagard. Dieu lui vienne en aide ! Enfin, elle s'étala de tout son long, au milieu des oranges et du crottin.

Mémé mourut à l'hôpital trois jours plus tard.

Pendant quelques jours, on confia les jumeaux à une voisine.

On cherchait à retrouver la mère. Quand les autorités apprirent qu'elle avait «fui» à l'étranger, bien plus loin que cette Varsovie dont elle parlait dans sa dernière carte, il n'y eut plus d'espoir.

Les jumeaux hébétés, sans larmes, furent saisis un matin, au réveil, et conduits sans plus d'explications à l'orphelinat.

CHAPITRE 2
La robe grise

Il existe beaucoup de préjugés sur les orphelinats, sur les orphelinats russes en particulier. Pour la plupart, ces préjugés sont fondés. Absence de soins, nourriture rachitique, loi du plus fort, infirmières sadiques... Tout cela est parfaitement répertorié, dûment éprouvé. Le quotidien des jumeaux au sein de l'institution ne fit pas exception. Des lits à barreaux et des pièces au plafond bas remplacèrent le terrain de jeux inépuisable de la cour de Mémé ; des brouets blanchâtres se substituèrent aux kachas fumantes ; des punitions absurdes succédèrent aux caresses enamourées.

Gladys et Vova firent leurs premiers pas dans la cour sans fleurs par un après-midi d'automne. Ils étaient fatigués par le trajet en bus, sous la conduite d'un fonctionnaire impavide, qui ne leur avait pas adressé un seul mot en trois heures. Les jumeaux se serreraient la main, en tremblant un peu des genoux. Dès qu'ils se présentèrent, la surveillante qui les accueillit les sépara rudement.

— Regardez-moi ces morveux, agrippés l'un à l'autre comme le chèvrefeuille à son muret.

Les yeux de Vova lancèrent des éclairs. Jamais auparavant on ne l'avait traité de muret. Gladys sourit nerveusement, par réflexe. L'infirmière demanda à Vova d'attendre sur un banc, pendant qu'elle emmenait Gladys dans le « quartier des filles ». Vova attendit longtemps. Enfin la femme revint, seule.

— Où est ma sœur ? demanda-t-il.

— Tu as bien de la chance d'avoir une sœur aussi mignonne. Toi, tu n'es qu'un vaurien. Je le vois dans ton œil. J'ai consulté ton dossier. Je sais ce que tu as fait à ta grand-mère. Tu es de la graine de délinquant. Mais ici, tu seras maté, mon petit. Tu verras. Les rouleurs de mécaniques dans ton genre, on en mange deux au petit déjeuner !

Vova demeura interdit. L'infirmière insinuait qu'il avait tué Mémé. Du haut de ses trois ans, il ne trouva rien à répliquer. Il se contenta de crisper les poings. Il serait bien temps de les lui coller en plein visage. En attendant, il se laissa mener à son lit, dans le

« quartier des garçons ». On lui donna un drap troué. On lui confisqua son ours. On lui fit enfiler la robe grise et les galoches en bois.

La messe fut dite.

Le soir, au réfectoire, Vova et Gladys se retrouvèrent un instant. Ils étaient si émus qu'ils ne purent parler. Les autres enfants leur parurent pâles et cernés. Hostiles, pour la plupart. Ils avalaient leur bouillie en bavant. Certains étaient débiles ; d'autres louchaient, ne marchaient pas droit.

Gladys, terrorisée, ne toucha pas à son écuelle. Vova, à une autre table, ne la quitta pas des yeux. Il tâcha même de l'encourager à manger. Gladys le regardait à son tour, semblant lui demander : « Est-ce un cauchemar ? Allons-nous nous réveiller ? » Mais ce n'était pas un cauchemar dont on s'éveille.

*
* *

L'adaptation fut plus dure, en apparence, pour Vova que pour sa sœur. Ce petit garçon-là avait un air de toujours toiser, une façon de ne jamais baisser les yeux qui ne mettait pas les gardiennes de son côté. Aussi Vova passa-t-il le plus clair de son temps, la première année et les suivantes, dans la salle d'isolement, un petit cagibi sinistre, supposé dompter les caractères récalcitrants. Les mèches blondes avaient été rasées et laissaient apparaître le crâne régulier de Vova, strié d'égratignures et de bosses, aussi nu qu'une ampoule. Vova n'aurait jamais eu l'idée saugrenue de se plaindre ou, pire encore, d'avoir pitié de lui-même. Il demeurait assis à fixer le mur du cagibi, le dos extrêmement droit, petit bloc d'intransigeance concentré dans un corps dur et souple comme une plume de phénix.

Sa sœur Gladys, elle, garda ses cheveux. C'étaient de beaux cheveux lisses, qui encadraient son visage à la manière d'un casque d'or. Il lui avait suffi d'un battement de cils, et les surveillantes étaient tombées sous son charme de poupée rose et blonde. À l'inverse de son frère, jamais à court de démonstrations de sa tête dure, Gladys séduisait immédiatement. C'était sa force, sa manière de survivre. Sa botte secrète était l'alliage d'une sorte de mollesse indéfinissable et d'un regard bleu lagon qui papillotait de vivacité. Un mélange peu courant de flegme et de pétillance, invincible. Même les préposées les plus coriaces, même les peaux de vache les plus rudimentaires succombaient. Les employées de nuit la couvaient dans son sommeil durant leur ronde, et les gardiennes de jour se battaient presque pour la prendre sur leurs genoux, lui nouer des rubans dans les cheveux et lui faire réciter des comptines. Gladys comprenait parfaitement l'intérêt qu'elle pouvait tirer d'une telle situation et collaborait du mieux qu'elle pouvait, toujours prête à aider, à esquisser un mignon pas de danse ou à dire un bon mot.

Une femme faisait régner la terreur. Son nom était Natacha Philipovna. Une femme grasse et ridée, qui aimait les « romans-savons » brésiliens et les chansons tsiganes. Elle écoutait ses feuilletons et sa musique à tue-tête, tout au long de la journée. On entrait dans son bureau uniquement pour se faire punir. Une peccadille, et c'était le « fumoir », le cagibi, l'internement. Dans une armoire s'amoncelaient tous les jouets confisqués, tous les souvenirs spoliés de la vie des enfants. Seule Gladys avait sa préférence. Elle seule échappait aux punitions collectives, aux privations et aux coups. Son frère, lui, subissait les représailles. On aurait dit qu'il les subissait pour deux. Peu à peu, Gladys se mit à vivre ces indulgences comme un châtiment. Mais elle ne pouvait s'empêcher de plaire et de plaire encore. C'était sa fatalité. Elle en pleurait la nuit, le visage collé à son oreiller.

Bien qu'elle fût plus choyée et protégée que les

autres enfants, dans son cœur Gladys souffrait autant qu'eux, les oubliés, les cabossés, les renifleurs, les avachis du fond de la salle, au regard vide et aux espoirs en berne. Elle était séparée de son frère qui lui manquait trop. Elle aurait aimé tenir sa main quand elle en avait envie, se blottir dans ses bras. Elle avait très bien compris que Mémé était morte, Vova le lui avait expliqué. Mais tout de même, comment faisait-elle pour respirer sous la terre, Mémé ? Comment ça se pouvait qu'elle vive là-bas, et qui s'occupait des poules et du chat Atchoum si Mémé ne s'en chargeait plus ?

Pour surmonter sa peine, Gladys prit l'habitude de s'inventer une vie. Pas une vie de princesse, une vie plutôt simple. Une vie où Vova, Mémé et le chat Atchoum étaient encore à ses côtés. Le jour, il était assez difficile de maintenir l'illusion. Mais elle apprit à se dédoubler : une partie d'elle était présente dans ce monde, une autre se tournait vers celui qu'elle avait créé. Une partie d'elle continuait à séduire les infirmières, à obéir et à se laisser cajoler ; une autre se projetait à mille lieues de l'orphelinat. Vova y était représenté tour à tour en acteur de cinéma à succès, en employé de l'année dans une usine de boulons, en champion de natation, en chef magnanime d'un kolkhoze* laitier. Gladys jouait le rôle de l'assistante, de la maman, du coach sportif. Mémé, dans un coin, ne disait jamais rien. Elle fumait sa pipe en terre, le chat sur les genoux. La nuit, Gladys continuait interminablement ses jeux, allongée sur son petit lit en fer, jusqu'à ce que ses rêves prissent le relais.

Vova, lui, ne rêvait pas. Il ruminait. Pour lui, la seule manière de supporter tout cela était de maintenir l'attaque, de rester en état d'alerte permanent. Aussi Vova ne baissait-il jamais la garde. Contrairement à Gladys, il craignait ses propres songes. Il craignait les images qui pourraient en surgir. Se maintenir en dehors de lui-même était un réflexe de survie.

Vova partageait son temps entre l'intérieur du cagibi, dans lequel il s'efforçait de rester éveillé et de ne penser à rien, et l'extérieur, où, invariablement, il fonçait dans le tas. Petits camarades goguenards, ordres un peu trop injustes à son goût, réflexions jugées insultantes… Tout était prétexte à pétage de plombs. C'était mécanique, bien huilé.

Vova se battait, crachait, insultait. Se retrouvait maté pour quelques heures. Sortait du cagibi. Recommençait à se battre.

Si l'on avait expliqué à Vova que cette attitude

ressemblait à une punition qu'il s'infligeait à lui-même, il aurait haussé ses petites épaules et aurait probablement craché par terre en signe de mépris. Chacun des jumeaux avait sa bulle : l'imagination et la colère brute leur servaient d'enveloppe. Mais, malgré tous ces artifices, tous ces barrages de fortune contre le mauvais sort, affirmer qu'ils n'étaient pas malheureux aurait été un mensonge. Un gros et un affreux mensonge.

CHAPITRE 3

De la vie des marionnettes

Une année s'écoula, puis deux, puis trois. Les jumeaux eurent six ans. Advint alors une série d'événements qui décida de leur destin.

Beaucoup de choses, tout d'abord, changèrent avec la chute des régimes communistes. Les caméras du monde entier se braquèrent subitement sur les orphelinats roumains. Les téléspectateurs découvrirent, horrifiés, les images de corps dénutris, meurtris d'esquarres, de crânes boursouflés, de sourires débiles. Les enfants martyrs du dictateur Ceausescu devinrent des emblèmes de la cruauté humaine et le symbole de la faillite totalitaire. Un frisson de honte collective parcourut l'ensemble des nations de l'ex-bloc de l'Est. Ce qui eut pour conséquence directe l'envoi, dans certains orphelinats choisis comme stratégiques, d'émissaires gouvernementaux, dont la tâche était d'évaluer la condition des bambins confiés aux institutions d'État. L'orphelinat de Vova et Gladys, situé près de Piatigorsk, dans le Caucase russe, fut visité parmi les premiers.

Cela donna lieu à une belle et parfois hilarante séance d'hystérie de la part des préposés, courant comme des poulets sans tête pour s'efforcer de boucher les trous du toit, remplacer les lits vétustes, ravauder les draps, dépoussiérer les étagères, sortir les boîtes de crayons des placards et condamner le cagibi d'isolement. Tout le monde était à cran quand l'émissaire arriva. Celui-ci avait à cœur de faire du zèle. On tenta de lui présenter discrètement Gladys, histoire de l'infléchir, mais il débusqua une à une toutes les irrégularités, les plus petites anarchies, les plus infimes inhumanités. Enfin il posa pour la télévision, comme un saint Nicolas extirpant les enfants du saloir, et annonça bravement qu'il doublait les crédits, virait les mégères tortionnaires et imposait le programme « Un enfant, une marionnette » destiné à promouvoir le développement créatif des pauvres orphelins.

Assouplissement de la discipline, pain enrichi aux vitamines, literies améliorées : la vie à l'orphelinat promettait d'être un peu adoucie. On encouragea même, selon ces nouvelles règles, le rapprochement des fratries.

Pour Vova et Gladys, ce furent donc des retrouvailles et l'espoir de ne plus être séparés. Gladys trouva son frère changé, le visage maigre et anguleux. Elle pleura longtemps en agrippant sa tête nue. Vova la serra fort, une boule dans la gorge, coulée dans du béton. Grâce aux nouveaux aménagements, ils purent avoir un lit côte à côte. Ils renouèrent avec leurs habitudes de se raconter des histoires, le soir. Gladys lui fit partager son monde. Vova souriait dans la nuit, les bras croisés sous la nuque. Le petit garçon se taisait, se laissait porter par la voix fraîche de sa sœur.

Bien sûr, tous les problèmes ne s'envolèrent pas magiquement, sous la baguette du missionnaire d'État. D'ailleurs, la directrice, la terrible Natacha Philipovna, resta en poste. Son mari était le beau-frère du cousin d'un ponte local. Les airs tsiganes tonitruèrent de plus belle en provenance de son bureau. Les infirmières se remirent rapidement à être injustes, les enfants à se voler mutuellement. Vova continua à se battre pour un oui ou pour un non, et Gladys à chanter des comptines sur commande, aux préposées attendries.

Ce qui changea vraiment, outre leurs retrouvailles, ce fut l'arrivée, dans leur vie, de Varvara.

Varvara était la fameuse déléguée aux marionnettes, dépêchée d'urgence par l'émissaire. Grande, un peu rondouille, elle portait serrés haut sur le crâne des cheveux couleur fraise. Un roux pâle, très délicat. En apparence, Varvara affichait le même air schmock que les autres. Mais elle possédait, elle, un trésor. Elle maîtrisait l'art d'animer les pantins de toile et de bois, et elle racontait des histoires extraordinaires avec ses poupées.

La première fois que la jeune femme présenta ses marionnettes aux enfants, ce fut lors d'un spectacle organisé dans la salle de jeux, avec pour scène deux tréteaux et un rideau bleu à grandes fleurs violettes. Les gamins avaient été invités par leur nouvelle équipe de nounous. Peu habitués aux égards et encore moins aux féeries, ils s'agenouillèrent en silence sur des coussins posés à même le sol. Tous se sentaient envahis d'une sorte de torpeur de joie, ils n'osaient ni bouger, ni rire, ni même parler. Les jumeaux se placèrent l'un à côté de l'autre, les doigts entremêlés et le sourire grave. Les lumières de la salle s'éteignirent. Le spectacle commença. En un instant, tous les visages s'illuminèrent de plaisir. Les marionnettes étaient apparues.

Dans un éclairage rouge et vert, on vit la scène se dresser. Celle d'un conte bien connu. La maison de la vieille Baba Yaga* se mit à tournoyer sur sa patte de poulet. La jeune Valentina, une magnifique poupée aux longues tresses, venait d'être chassée par ses sœurs et parvenait aux confins de la forêt. Sous les yeux médusés des spectateurs, elle s'approcha de l'antre de la sorcière. Sans ressources, sans pain, la jeune fille n'avait pas d'autre choix que d'affronter la déesse du fond des bois. Baba surgit, tenant une pomme d'or.

Vova, à qui les cheveux coupés ras donnaient des airs de repris de justice miniature, se mit à pleurer. Gladys serra sa menotte et sanglota à son tour. Tous deux avaient compris, au même moment, ce qui venait de se passer : grâce aux marionnettes, ils n'avaient pas perdu Mémé, elle était retrouvée. Elle portait les cheveux au vent, n'avait qu'un œil, mais c'était leur mémé. Leur cœur en fondait de nostalgie.

Les péripéties se succédèrent. Valentina subit les

épreuves de la sorcière ; le prince-chevalier croisa sa route, résolut l'énigme et épousa sa belle paysanne. Lors de leurs noces, la sorcière vaincue, mais heureuse pour sa protégée, initiée au bonheur, offrit un cheval gris capable de courir sur les Ailes du Temps.

Quand les lumières se rallumèrent, les visages de Vova et de Gladys étaient transfigurés. Ils n'avaient pas connu une telle joie depuis le fin fond de leurs souvenirs. Cette joie un peu douloureuse de retrouver ce qui est perdu et qui manque infiniment. Ils se levèrent, toujours main dans la main, et s'avancèrent jusqu'à Varvara, qui rangeait les poupées et les décors dans des boîtes bordées de velours. Vova arborait son visage d'acier, et, derrière lui, Gladys tortillait ses cheveux d'or.

La marionnettiste, qui les avait repérés du coin de l'œil, leur lança, l'air de rien :

— Vous voulez voir comment on fait ?

— Pour les animer ? s'écria candidement Gladys en faisant un pas vers la jeune femme.

Vova, malgré son émotion, la tira vers lui.

Bravache, il articula en levant le menton :

— Montre-nous comment ça marche, la rouquine.

Varvara commença par se redresser, croisa ses bras

constellés de taches de rousseur et plissa les yeux, comme pour montrer qu'elle réfléchissait à la proposition. Finalement elle répondit :

— D'accord, je vais vous les montrer. Mais avant, vous allez me le demander poliment.

Gladys se détacha de son frère et battit des mains :

— S'il te plaîîît ! Montre-les-nous !

Varvara sourit. Vova, lui, restait de marbre. Son regard bleu percuta celui de la jeune femme. Et pour la première fois, l'éternel enragé, le mioche indomptable baissa les yeux. Il piétinait sur place, sans savoir ce qui lui arrivait. Enfin, au terme d'un combat que l'on devinait féroce, il murmura, la tête toujours penchée vers ses galoches en bois :

— S'il te plaît, Varvara, montre-nous les marionnettes.

La marionnettiste aux cheveux fraise se leva aussitôt, lissa la jupe blanche de son uniforme et fit claquer doucement ses pantoufles à brides. Les jumeaux formèrent un beau « oh ! » de leurs bouches rondes. Les poupées étaient toutes là : Valentina, le chevalier, Baba, les trois sœurs, le meunier.

— J'en ai d'autres dans mon armoire, déclara fièrement Varvara.

Vova approcha sa paume droite des yeux de la

sorcière. Les deux globes étaient magnifiquement peints. Il promena ses doigts sur la cornée froide, réprimant un sanglot qui lui remontait inexplicablement.

— Elles sont belles, lâcha-t-il comme un aveu.

— Tu les aimes ? dit doucement Varvara.

À ces mots, le petit jeta un regard bourré d'angoisse à la jeune femme et détala, abandonnant sa sœur. Gladys, aussi étonnée que Varvara, le regarda partir, les sourcils froncés.

— Moi, je les aime, prononça-t-elle en caressant inconsciemment le col de la marionnettiste.

Et à son tour, la petite fille fila en sautillant.

— Nous reviendrons. Je te le ramènerai ! cria-t-elle joyeusement à Varvara.

*
* *

Les quelques mois qui suivirent furent, pour les jumeaux, entièrement consacrés aux marionnettes. Dès le début, Varvara les nomma « assistants ». Ils étaient chargés de nettoyer les poupées, de démêler les fils, d'épousseter les boîtes. Ils partageaient cette tâche avec Dima « le pueur » et Vaslav « le morveux ». Inutile de dire que Vova dut se retenir à plusieurs reprises de se battre contre ses deux rivaux. Pour protéger les marionnettes de leurs doigts graisseux, au premier chef. Et par pure envie de leur aplatir le museau, en second lieu. Varvara et Gladys calmaient constamment le jeu. Avec le temps, Vova apprit à se contenir un peu. Il savait que s'il tapait trop dur il ne reverrait pas les marionnettes et devrait laisser sa place d'assistant à un autre enfant. Une punition bien plus redoutable que le cagibi.

Au bout de quelques semaines, quand Varvara jugea que les jumeaux étaient prêts, elle les autorisa à devenir ses « super assistants ». Ainsi, débuta pour Vova et Gladys la plus belle période de leur courte vie d'orphelins.

Une fois par semaine, les enfants étaient invités à venir s'asseoir dans la salle de jeux. On montait les tréteaux et on déployait le rideau à fleurs violettes. Pendant quelques merveilleuses minutes, la scène devenait théâtre d'aventures, de quêtes et de passions, où tout se terminait dans l'effusion de retrouvailles bienheureuses.

Les autres jours, quand il n'y avait pas de spectacle, les orphelins se présentaient en salle de pratique, par petits groupes. Là, ils pouvaient toucher les poupées, et même les manipuler. Le but était de permettre aux enfants de créer eux-mêmes leurs histoires et de leur donner vie. Beaucoup d'entre eux participèrent. Varvara était très occupée, mais elle passait le temps qu'il fallait à guider les petites mains gourdes, à collecter les récits, à mettre sur pied les spectacles des enfants. Les jumeaux lui prêtaient main-forte. Ils étaient les gardiens des boîtes de velours. Leur silence radieux clignotait de bonheur. Quelquefois, Varvara prenait un moment pour les regarder travailler. De biais, presque en cachette, comme on observe les oiseaux. Ces deux-là étaient différents, cela sautait aux yeux. Gladys lui faisait penser à un cygne blanc qui glisserait sur des eaux boueuses sans se salir d'une plume. Vova, lui, avait dans tous ses gestes une noblesse d'aigle. Varvara replaçait une mèche de ses cheveux derrière ses oreilles et tâchait de ne pas trop s'attendrir. L'atelier marionnettes était un succès encourageant. Les petits jouaient le jeu, et cela la remplissait de joie.

Quelques enfants proposèrent leur histoire, et à la place des récits sortis de contes, on mit en scène ceux qu'ils avaient créés. Certains d'entre eux étaient autobiographiques, d'autres passaient par les voies enchantées de la métaphore. Tout était permis. Aucun enfant n'étant à l'orphelinat de gaieté de cœur, leurs histoires reflétaient une foule de drames.

Mais très souvent, on riait autant que l'on pleurait. Et à la fin, les fils se renouaient, les plaies guérissaient, et la joie ruisselait à gros bouillons. Le seul qui refusât de se prêter au jeu fut, évidemment, Vova. Il préférait se borner à astiquer et à ranger les marionnettes. L'idée de faire parler les poupées, avec sa voix à lui, lui semblait absurde. Plus que cela, cela lui paraissait secrètement impie.

Un samedi de décembre, Gladys proposa son histoire. Celle qu'elle avait imaginée et écrite. Ça commençait comme les autres contes. On y voyait le prince Iegor, et la jeune Anastasia, lovés l'un contre l'autre. Un frère et sa sœur. Ils vivaient dans les ors du palais de leur mère, la reine. Un jour, Iegor partit à la chasse. Dès qu'il mit le pied dehors, le jeune prince aperçut une bête étrange dans les jardins. Il fut pris de folie et se lança à sa poursuite. Il la traqua pendant des semaines et des mois, mais l'animal fuyait toujours, plus vite qu'un coursier du vent. Quand le prince l'eut enfin dans sa ligne de mire, il décocha une flèche de son arc magique. Cette flèche tua la bête, droit dans la poitrine. Au même instant, à des milliers de kilomètres de là, sa mère, la reine, s'écroula dans son palais. Elle avait été terrassée par un coup au cœur imprévu. Quand il vit cela, Vova fut pris d'une colère soudaine, irrépressible. Il s'élança sur la scène et saisit la poupée Iegor. Puis, les yeux exorbités, il la propulsa contre le mur à la vitesse d'un lancer de marteau olympique. L'irréparable s'était produit. Le pantin vola en éclats.

Gladys ne dit rien. Elle se contenta de crisper ses petits poings dans les poches de sa robe grise. Varvara regardait la scène, médusée, les deux mains agrippées à son chignon roux. La jeune femme ne pensa même pas à intervenir. Le petit restait sur scène, haletant, superbe, les bras ballants. Son visage tordu disait à quel point il souffrait. Mais il ne fuyait pas. Un ange passa dans un silence de plomb. Contre toute attente, ce fut Gladys qui rompit la posture. Très calmement, elle le rejoignit sur les tréteaux. Elle entoura son frère de ses bras fins et ceintura son torse affolé.

– On va réparer la poupée, et puis tu vas guérir.

Varvara eut une idée de génie. Elle se mit à applaudir. Et tous les spectateurs applaudirent à sa suite. Les jumeaux, très éprouvés, se tournèrent vers le public et, spontanément, saluèrent.

Une page de malheur était tournée. Une autre allait pouvoir s'écrire.

CHAPITRE 4
Enfance d'Ivan

Tout commença par un télégramme, que le facteur déposa sur le bureau de la directrice, un matin de la mi-mars. Dehors, l'hiver saupoudrait encore les crêtes et les cimes, mais les ruisseaux des vallées avaient déjà presque dégelé. L'eau timide ruisselait parmi les aiguilles transparentes. Les enfants étaient autorisés à sortir dans la vaste cour, quelques heures par jour, sous la surveillance des infirmières. Vova et Gladys sautillaient pour aller voir les rayons du soleil ricocher sur les pierres plates et sur le dos des brochets qui frayaient dans la rivière. Quand ils rentraient, Varvara les attendait avec une poupée à démêler, à repeindre ou à recoudre.

Ce télégramme, donc, arriva sur le bureau de la directrice, qui l'ouvrit d'un œil distrait tout en buvant son thé. Elle faillit s'étouffer en lisant le contenu. Il y était stipulé que tous les orphelinats russes étaient désormais ouverts à l'adoption, y compris aux demandes émanant de l'Occident. Autrement dit, après des années de stagnation absolue, les riches des pays riches allaient pouvoir se payer des gamins pauvres d'un pays pauvre. C'est ainsi que Natacha Philipovna comprit l'essence de la missive.

– *Boje Moï[3]* ! s'écria-t-elle en serrant fort la micro-anse de sa tasse dans ses doigts.

On demandait aux « autorités compétentes » de prendre les enfants en photo, d'écrire un petit commentaire sur leurs caractéristiques et leurs habitudes, afin de verser leur candidature dans le catalogue destiné aux familles adoptantes.

Natacha lâcha sa tasse.

– *Tchort[4]* ! gronda-t-elle. Il va falloir sortir l'appareil photo des boules à mites.

C'est ainsi que débuta une vaste campagne photographique au sein de l'orphelinat.

Vova et Gladys passèrent entre Rodion, un bigloucheur, et Veronica, une petite gazelle de huit

3. Mon Dieu !
4. Diable !

ans qui en paraissait quatre. Sur leur dossier, on inscrivit :

Frère et sœur. Cheveux blonds, yeux bleus, type russe. Bonne santé. Fille plutôt douce. Garçon caractériel. Intelligence supérieure (les deux). Aiment les marionnettes. Ne pas séparer lors de l'adoption.

On y joignait l'image du duo, tout en blondeur. Gladys et son casque d'or, débordant de grâce. Vova, la tête dure et le visage maigre comme un gamin des rues. Puis, quand tout fut fini, on oublia l'événement.

Juin arriva, qui devait clore le calendrier du théâtre de marionnettes.

Varvara avait prévu un clou à leur « saison ».

On avait décidé de jouer par une magnifique fin d'après-midi, sous les tilleuls de la promenade du village, une histoire tirée du répertoire le plus classique. Il s'agissait d'un conte russe choisi avec soin par les jumeaux : Ivan l'idiot et son cheval Sivka Bourka. Vova, surtout, avait tenu à ce choix. Depuis que Varvara leur avait appris à lire, Gladys et son frère dévoraient frénétiquement toutes sortes de recueils. Un soir, Vova était tombé sur cette histoire qui lui avait plu davantage que les autres.

– Pourquoi l'aimes-tu tellement ? lui avait demandé Varvara.

– Parce que ce fils est idiot, un bon à rien, mais quand il passe par les oreilles de son cheval magique, il ressort transformé en prince, avait répondu Vova très simplement.

Varvara avait haussé les épaules. L'explication lui suffisait. Ce fut donc cette histoire que les orphelins montrèrent aux gens du village. Quand ils arrivèrent, armés de leurs planches et de leurs tréteaux en kit, les vendeurs de frites de patates douces et ceux de crème glacée les lorgnèrent en maugréant. Les passants qui flânaient s'arrêtèrent tout d'abord avec méfiance. Mais, voyant les bambins s'activer à qui mieux mieux pour monter les décors, leurs regards changèrent. Certains s'assirent ; d'autres proposèrent de les aider. Bientôt, tout fut prêt.

Le spectacle débuta alors que le crépuscule tombait. Un silence tendu de nuit drapa la promenade. Sur la scène laquée de noir, Ivan et ses frères apparurent. Quand le cheval magique fit son entrée, un frisson merveilleux parcourut l'assemblée.

Dans les coulisses improvisées, Vova suait à grosses gouttes pour animer sa marionnette (Ivan l'idiot lui était naturellement échu). Gladys, qui manipulait la princesse tombée amoureuse d'Ivan, souriait dans l'ombre. Ils faisaient tricoter leurs doigts, jouaient des fils comme d'une harpe. Les pantins vivaient. Et les petits rayonnaient à l'unisson de leurs personnages.

À la fin, Varvara s'avança le visage en pleurs et, ayant accroché l'une de ses mèches roses derrière ses oreilles, appela les jumeaux pour le salut final. Vova et Gladys, graves et radieux, exécutèrent une petite révérence timide. Le public conquis applaudit. Les autres orphelins en firent autant.

Ce fut la dernière fois que les jumeaux touchèrent à une marionnette.

*
* *

L'affaire du télégramme, qu'on croyait enterrée, resurgit à un moment où l'on ne s'y attendait plus, aux portes de l'été, quand tout semblait sourire enfin aux jumeaux.

L'orphelinat avait reçu des subsides pour envoyer les enfants au bord de la mer Noire, durant les deux mois des vacances. On distribua à chacun d'entre eux un maillot de bain en laine (modèle fille ou garçon), jaune moutarde à bordure framboise. Un régal. Les loupiots avaient déjà préparé leur balluchon. Seulement, la veille du départ, on annonça que certains orphelins ne partiraient pas avec les autres. Ordre d'en haut. Vova et Gladys faisaient partie de ce groupe composé de quinze enfants, dont treize âgés de moins de trois ans. Ce qu'ils ne savaient pas, c'est que des familles françaises (de la vraie France !) avaient fait le voyage pour venir les voir. Les plus jeunes, en fait. Les plus jeunes et les jumeaux, sept ans au compteur, a priori inadoptables.

— Trop vieux, d'abord, raisonnait Vova, et puis nous avons notre maman. Elle est bien quelque part. On ne peut pas nous prendre si elle existe encore…

Gladys regardait ses pieds, le cœur meurtri.

Dans la nuit, Gladys avait été secouée de sanglots que Vova n'avait pas su consoler. Elle savait, contrairement à lui, que leur mère ne reviendrait jamais les chercher. Elle avait entendu les infirmières en parler, derrière une cloison, durant la visite médicale. Leur mère avait quitté la Russie. Elle était « portée disparue » : tels étaient les mots que les infirmières avaient employés. Gladys chercha à le dire à son frère, mais les mots s'évanouirent dans sa bouche.

Le lendemain, les orphelins en partance pour Sébastopol se rangèrent le long de l'autocar déglingué et saluèrent ceux qui restaient avec de petits mouchoirs rouges. Vova et Gladys les regardèrent. La file des éclopés souriants, des petiots ravagés était en marche, en partance pour le soleil.

— Faites-vous bien adopter ! leur crièrent les frères Tchornii.

— Vous nous raconterez !

— N'en profitez pas pour me piquer mon mistouflet derrière mon dos, s'insurgea un miochon nerveux, la boule à zéro.

— Tout le monde s'en fout, de ton mistouflet, gronda une voix qui venait du fond du bus.

— C'est quoi, un mistouflet ? demanda candidement une petite fille aux nattes orange et aux dents très écartées.

Les jumeaux rirent un peu jaune.

Gladys portait dans ses bras un bébé à la couche pleine. Décidément, ça ne lui plaisait pas, cette histoire d'adoption. Elle avait la gorge serrée. Vova lui murmura :

— Nous les reverrons. Ne t'inquiète pas.

Varvara s'approcha d'eux. Elle les salua en rajustant ses couettes rosées. Elle portait un sac à dos à l'épaule.

— Vous ne montez pas, les mouflets ? Où sont vos affaires ?

— Mais… tu n'es pas au courant ? articula Vova, un peu défait.

Varvara posa son sac. Elle avait l'air sincèrement perplexe.

— Qu'est-ce que je devrais savoir ?

— Nous restons à la base. Des Français veulent nous voir.

— Mais je croyais qu'ils ne voulaient voir que les petits… D'habitude, c'est…

— Nous, on doit rester. C'est tout ce qu'on sait, l'interrompit le garçon.

Varvara regarda Gladys. Elle vit la peur dans les yeux de la petite fille et sentit une terrible appréhension la saisir. Une boule durcit dans sa gorge.

— Ça veut dire que peut-être…

— Ça veut dire que rien. Dans une semaine, on sera avec vous, à Sébastopol, en train de barboter en caleçon de laine au milieu des zigotos habituels. T'inquiète, l'interrompit Vova.

Varvara sourit comme elle put. Elle lança un regard aux jumeaux. Un regard absorbant qui tâchait de les boire dans sa mémoire.

— Je vous dis au revoir, alors ?

— Au revoir, Varvara, murmura Vova, les yeux fixés sur le gravier.

— Attendez.

Varvara se hâta vers une petite touffe d'aspho-
dèles qui avait percé le béton de la cour. Elle en fit
un bouquet de fortune, au trois quarts dépiauté. Elle
le tendit aux enfants sans dire un mot. Gladys fit un
pas vers la marionnettiste.

— Adieu, Varvara !

La jeune femme caressa la tête de l'enfant. Ses
cheveux fins avaient une douceur de fruit frais.

— Nous nous reverrons, Gladys chérie, promit-
elle sans y croire.

Gladys pleurait à présent à chaudes larmes. Le
bébé dans ses bras la fixait de ses deux billes rondes,
la babine retroussée, et essayait maladroitement de
lui harponner le nez.

— Arrête ce cinéma, Gladys. Arrête ce cinéma
maintenant ! cria le pauvre Vova, enragé. Monte dans
ce bus, Varvara. Monte dans ce bus, qu'on en finisse !
Je ne peux pas supporter ça !

Et il secoua sa sœur et le bébé comme deux
branches de poirier dans le vent d'automne. Varvara
bondit pour les séparer. Dans ses bras, il y avait trois
petits enfants, dont un qui ne comprenait rien
et gazouillait sous son bonnet à pompon et deux
qui tressautaient de sanglots. Ce fut leur unique et

dernier câlin, bancal et déchirant. Varvara recula et vit ses fleurs, pitoyablement abîmées dans les mains des orphelins. Elle détacha alors de son cou un médaillon ovale en plastique bleu. C'était un bijou fantaisie de l'ère soviétique, une babiole à deux sous.

– Tenez, prenez ça…

Vova regarda l'objet d'un œil méfiant. Sur le dessus du médaillon était dessiné, en traits argentés, le dessin élégant d'un hippocampe.

– J'en veux pas ! dit-il. Ça va nous porter malheur…

– Moi, je le prends, Varvara ! le coupa Gladys.

Aussitôt, elle posa le bébé dans l'herbe fraîche et enfila le colifichet.

– Merci, ajouta-t-elle en serrant le médaillon.

– Va-t'en, supplia Vova à l'adresse de la marionnettiste.

Varvara comprit qu'il était temps pour elle de les laisser. Elle chargea son sac sur l'épaule et s'éloigna en ravalant sa peine. Elle savait qu'elle ne les reverrait plus.

CHAPITRE 5
Les fleurs coupées

Le bus partit, chargé à bloc de petits gnards chantants. Les jumeaux furent coiffés et bichonnés afin d'être présentés aux familles qui les avaient choisis sur catalogue et qui avaient fait le chemin pour les voir en vrai.

Ce jour-là, on avait disposé tous les bébés dans leur bassinette, lavés de frais, en ligne le long du mur de la grande salle de jeux. Vova et Gladys jouaient aux osselets. Leur idée était faite. Ils arboraient les visages fermés de miniforçats condamnés au mitard.

Vers midi, les familles entrèrent en rangs serrés. Elles se clairsemèrent, allant d'un berceau à l'autre. Tâtant les uns, cajolant les autres. Vova refusait de leur jeter ne serait-ce qu'un seul regard, mais Gladys ne put se retenir. Elle les observa du coin de l'œil.

C'étaient donc ça, des mamans et des papas ? Ça portait des barbes, des lunettes ? Des écharpes et des bijoux ? Ça n'avait pas l'air si terrible, contrairement à ce que Rodion leur avait dit. Se fiant à sa propre expérience désastreuse, le bigloucheur leur avait dressé un tableau postillonnant de la vie de famille (en insistant sur les repas à base de chou et sur l'ébriété systématique de tous les papas du monde dès le début de l'après-midi).

Certains étaient émus, ça se voyait. Il fallait croire que le spectacle de leur petite misère d'orphelins avait de quoi filer un coup. Et ils n'avaient pas vu le pire, les Français ! Les bébés n'étaient pas encore trop abîmés. Les grands, c'était autre chose : les tronches en biais, les dents croches, les cerveaux en compote… Et pourtant, c'étaient des mignons en dedans, pour sûr, se disait Gladys en regardant ces grands-là s'émouvoir. Tout à coup :

– Oh ! mon Dieu ! Mon Dieu ! Que je suis contente de te voir enfin ! s'exclama une dame très blonde à long cou en direction de Gladys. Tu dois être Gladys ! Tu es encore mieux que sur la photo !

La petite fille regarda autour d'elle, affolée. Elle ne comprenait rien. On lui parlait dans une langue ratatouille, indistinctement mâchouillée. La dame se

retourna et claqua des doigts en direction de l'interprète. Celui-ci rappliqua au trot.

— C'est cette enfant, n'est-ce pas ? C'est elle que
je veux ! Oh ! je la veux !

— Vous voulez parler de Gladys, madame Baldessari ? ânonna l'interprète, obséquieux à souhait.

— Qu'elle est belle ! s'exclama la femme au comble de l'excitation, les yeux mouillés de larmes.

Ses breloques aux oreilles s'agitèrent à la manière
de lapins pris au piège.

— Ma belle, ma chérie, on va te sortir de là...

Et déjà, la femme s'approchait d'elle, les bras en
avant.

Gladys, interdite, lâcha ses osselets et recula vivement pour échapper à l'embrassade forcée de la folle
blonde.

Vova saisit l'épaule de sa sœur, les sourcils pliés en
sinusoïdes, et l'invita à se blottir contre lui. Les osselets roulèrent sur le lino. Gladys tremblait. La femme
fit encore un pas vers la petite fille. Un pas de trop.
Vova se dressa, les poings levés. La femme rétrograda,
l'air effrayé.

— C'est le frère ? Dites-lui de se calmer. Il a l'air
féroce !

La colère monta brusquement au nez de la petite

fille. Une colère irraisonnable, qui pétaradait et vrombissait dans ses nerfs. Elle éclata.

– Je ne pars pas avec vous, saleté de mocheté en cannette ! hurla-t-elle, écarlate et défigurée.

Même Vova en fut soufflé. Jamais il n'avait vu sa sœur dans cet état !

– Qu'est-ce qu'elle dit ? Calmez-la, par pitié !

La femme lançait de tous côtés ses regards d'un violet sombre. Elle quémandait de l'aide. La situation venait de déraper.

Gladys tapait des pieds, se roulait par terre, enragée.

L'interprète, pris de court, empli du désir de bien faire devant une invitée de marque, ne trouva rien de mieux pour mettre fin à cette vilaine crise que de talocher sévèrement la petite furie. Du plat de la main sur le haut du crâne. Gladys s'arrêta net et flageola, à moitié assommée.

Vova n'eut pas le temps de réagir, la femme s'était déjà portée au secours de la fillette. Le coup de tonnerre résonnait encore et faisait vibrer l'air d'une onde de stupéfaction.

– Arrière ! Ôtez vos sales pattes de mon bébé !

Et elle prit Gladys dans le berceau de ses bras. Celle-ci, sonnée, ferma les yeux et se laissa faire. Un peu de sang coulait de son nez. La femme blonde se mit à murmurer une berceuse en langue yaourt tout près de son oreille. Vova, tout en contemplant cette étrange pietà, demeurait pétrifié. L'interprète, pas gêné pour un sou, consolait de loin la petite fille, comme si la baffe avait été portée par quelqu'un d'autre. Vova ressentit les assauts d'une violente nausée.

Tout à coup, une voix inconnue s'éleva dans l'assistance :

— Renata ? Tu as trouvé ta petite ?

La femme se redressa à moitié, pasionaria éplorée, l'enfant grelottant dans les bras.

— Serge ! Serge ! Partons de cet enfer, je t'en prie !

— Nous verrons cela. Pour l'instant, il faut s'occuper des papiers. Veux-tu me suivre ?

— Je ne la lâche pas. Je ne la laisse pas une seconde de plus au milieu de ces gens. Salaud ! Salaud ! cria-t-elle à l'adresse de l'interprète.

Celui-ci sourit béatement en montrant ses dents en or. Les insultes lui glissaient dessus comme la pluie sur les plumes d'un canard idiot.

Le monsieur soupira, sembla peser la situation et déclara sans une once d'émotion dans la voix :

— C'est fini, ma chérie. Allons-nous-en.

En entendant cela, Vova fléchit involontairement les épaules. Il observa l'homme. Un gars plutôt court sur pattes, avec un ventre proéminent, pas mal élégant, en costume sombre. Des yeux de fouine. Pas spécialement sympathique selon ses critères. D'autant plus qu'il n'était pas facile de comprendre, au bout du compte, ce qui se passait. Ce langage sonnait comme un clapotis de cuillère dans un kéfir* de chèvre.

— Qu'est-ce qu'il a dit, le gros ? demanda Vova à l'interprète.

Toujours souriant, étreignant sa casquette de ses grosses mains poilues, l'interprète chuchota :

— Le gros, c'est M. Baldessari, le magnat du poisson, espèce de pouilleux. À mon avis, ta sœur, tu ne la reverras plus. Ça m'étonnerait que des cadors comme eux se fendent en quatre pour un cornichon comme toi.

Vova déglutit. Un cauchemar. C'était un cauchemar, cette histoire d'adoption. Comment avait-il pu penser que ça se passerait sur des roulettes ? Rien ne se passait sur des roulettes, jamais… Au même instant, Vova vit débarquer l'intégralité du staff gradé de l'orphelinat. Tout ce monde fit cercle autour du couple et discuta en chahutant beaucoup. Puis le groupe disparut, emportant Gladys au passage, et s'enferma dans le bureau de la directrice.

Vova jeta un coup d'œil circulaire. Ça s'agitait toujours autour des berceaux. Les Français flattaient les bébés, les dépliaient de leurs linges, les agrafaient à des biberons. Beaucoup pleuraient, enfants et adultes. Dans ce chaos, qui s'intéresserait à lui, cabochard tondu, efflanqué, pas mignon pour un rond ?

Vova se laissa tomber sur le sol et, désespéré, se coinça la tête entre les genoux.

*
* *

Finalement au bout de (peut-être) vingt longues minutes, Natacha Philipovna sortit du bureau. Elle fonça droit vers le garçon. En s'approchant de lui, elle arborait un sourire sinistre.

– M. et Mme Baldessari vont vous prendre tous les deux. La chance est avec toi, hein, tête de pioche ?

Vova sentit son cœur s'alléger d'un quintal. Rayonnant, il toisa la grosse dame. Puis cracha par terre. *Tchort !*

Natacha s'apprêta illico à le choper par le collet (l'habitude), mais l'interprète l'arrêta net. La directrice se contenta de grommeler :

– Tu peux remercier ta sœur, graine d'asticot.

Les deux Français s'approchèrent ; ils souriaient tous les deux. La femme tenait Gladys par la main, et la petite fille souriait, elle aussi. Mais dans ce sourire, il y avait une tristesse voilée qui tordait le cœur.

Le couple se planta devant Vova. Gladys se jeta dans les bras de son frère. Son petit nez avait été soigneusement essuyé, et elle portait une nouvelle robe, immaculée, avec un nœud dans le dos.

– Dites aux enfants de se préparer. Nous partirons le plus tôt possible. Traduisez, Artchiom.

– Prenez vos balluchons, les gosses. Vous quittez l'orphelinat pour un monde meilleur, c'est ça que ça veut dire.

Gladys serra le médaillon à l'hippocampe, comme pour se protéger. Les jumeaux se regardèrent.

Voilà, leur rencontre avec les Baldessari venait d'avoir lieu. Et il y avait de quoi être stupéfait. Franchement stupéfait. Mais aucune stupéfaction ne pouvait les éloigner de leur destin et de leurs épreuves.

Quatre jours après, Vova et Gladys, habillés de pied en cap en Lucci Baggano, coiffés au micropoil et même parfumés, se posaient à Paris dans un grand Iliouchine* bleu de mer. Direction les Buttes-Chaumont.

CHAPITRE 6
Sous les pavés…

L'arrivée à Paris eut brièvement le charme de la nouveauté. Le voyage s'était déroulé dans un calme étrange. Les jumeaux étaient demeurés silencieux tout au long du vol. La femme avait commencé par essayer de communiquer avec eux, battant l'air de grands gestes. *Otiets*[5], *Mat*[6]. Les jumeaux, bien calés sur leur siège en velours écarlate, l'avaient dévisagée de leurs yeux de chat, et elle n'avait pas insisté. Par la suite, elle s'était endormie après s'être fait servir successivement trois verres à pied, remplis de liquide à bulles. L'homme, très discret, discutait sans cesse, à mi-voix, avec un collaborateur au long cou de vautour.

5. Père.
6. Mère.

Vova n'osait pas demander à sa sœur ce qu'elle ressentait. Elle jouait avec une nouvelle poupée, sans faire de bruit. Son petit visage pâle refusait de sourire. Vova trouvait qu'elle avait changé, depuis la taloche et le conciliabule dans le bureau de Natacha. Qu'est-ce qui avait bien pu décider les Baldessari à le prendre, lui ? Qu'avait accepté Gladys en échange ?

Vova fixait le hublot, le cœur lourd, tandis que Gladys s'enfermait encore davantage dans son jeu.

Peu après, il y eut la découverte, par la fenêtre de la limousine acajou, des rues mouillées de pluie de la grande capitale. Paris ! Ville lumière ! Empilés sur le cuir des fauteuils, les jumeaux buvaient les pavés, les enseignes, les clignotements infinis et les pétarades. Vova et Gladys battaient des cils en cadence, sans trop y croire. L'orphelinat, ils n'avaient connu (presque) que cela, et rien ne les préparait à une telle débauche de couleurs, de formes et de sons. Ils se pâmèrent devant le spectacle d'une dame qui promenait son chien, en babouches, enrubannée dans une robe de chambre digne des *Mille et Une Nuits*. Poussèrent des oh ! et des ah ! devant les façades scintillantes des magasins d'alimentation. Restèrent pantois devant les petits enfants aux visages roses et pleins, qu'accompagnaient leurs mamans.

Enfin ils arrivèrent dans la résidence, une immense bâtisse en pierre de taille, couverte de lierre, au fond d'une allée pavée. Il y avait même des statues ! Des vraies de vraies avec les fesses à l'air ! Des boulingrins en forme d'espadon bordaient le sentier de gravier blanc.

Vova et Gladys furent pris de la même pulsion de gambader comme des fous.

Un immense bonhomme s'approcha d'eux. Il portait une livrée de domestique, qui le faisait ressembler à un pingouin. Les jumeaux s'arrêtèrent net dans leur danse de jubilation.

– Vise le gars, Gladys. Faudrait lui lancer un poisson, peut-être qu'il nous ferait un tour !

La petite fille pouffa. Le Pingouin resta de marbre.

– Monsieur et madame ont-ils fait bon voyage ?

Puis, se tournant vers les enfants avec une lenteur de sphinx :

– Mon nom est Agrippa.

Ce disant, il saisit les bagages que lui tendait M. Baldessari.

Les enfants comprirent qu'il s'appelait «Agraga» et le suivirent à l'intérieur du manoir. Les jumeaux ignoraient tout du confort d'un ménage, tout des règles de l'élégance domestique. Cependant, ils s'extasièrent de concert devant l'agencement du salon. Chic, luxueux, exorbitant. Un brin *too much* avec la tête de zèbre au mur et les canapés en forme de longues lèvres fuchsia.

– Conduisez-les à leurs chambres, Agri. Je suis épuisée ! Nous ferons une sieste, puis souperons vers vingt heures. Dans la salle bleue. Traitez-les comme convenu, n'est-ce pas ?

Le Pingouin fit une courbette et s'exécuta. Vova et Gladys le suivirent, médusés, le long des couloirs. Leurs yeux piquaient. Ils avaient affreusement sommeil.

– Gladys ! déclama leur guide géant.

Les petits, au taquet, firent un pas vers lui.

Celui-ci tourna alors cérémonieusement une poignée de porte qui ouvrit sur une chambre de fille, tendue de rose et d'or, aussi sucrée qu'une boîte de bonbons. Au centre trônait un baldaquin de conte de fées. Partout sur les étagères, des alignements de poupées en porcelaine de tous les pays. Gladys, éberluée, sautilla à l'intérieur. Vova resta à l'extérieur, toujours méfiant.

À peine sa sœur s'y fut-elle glissée, hypnotisée par la débauche de jouets, qu'Agraga referma la porte sur elle et tourna la clé. Vova voulut se rebeller, mais Agraga l'avait déjà saisi au collet. Le petit le mordit sauvagement au coude. Le Pingouin n'eut pas l'air de le remarquer.

— *Tchort de tchort!* se lamenta le petit garçon ballotté.

Quand ils arrivèrent devant ce qui devait être la porte de la chambre du garçon, le Pingouin lâcha son colis à la manière d'un sac à patates. Sa grosse main entrouvrit l'accès et y jeta le pauvre Vova.

Fin de la récréation.

En jetant des regards affolés autour de lui, Vova comprit que sa sœur et lui allaient souffrir plus que leur compte dans cette nouvelle maison. Pour lui, pas de baldaquin, de jouets luxueux débordant des malles, de tentures dorées. C'était le grand retour du cagibi. Vova serra les poings et, s'affaissant sur son lit en fer tendu de draps blancs, il ferma les yeux et s'endormit comme une masse.

*
* *

Le petit Vova fit un rêve atroce dont il se réveilla en sursaut, la sueur collée à la chemise, cette belle chemise blanche que la sorcière française avait tant tenu à lui faire enfiler. Un goût de soufre lui gâchait la salive, lui donnait envie de cracher. Il trouva une bouteille d'eau à côté de son lit et s'en servit un verre. Il respirait mal ; sa gorge avait gonflé. L'angoisse. Qu'est-ce qui se passait dans cette maison ? Qui étaient les Baldessari et qu'est-ce qu'ils allaient leur faire ? Ils avaient choisi Gladys : voulaient-ils l'engraisser pour mieux la manger par la suite ?

Combien de temps devrait-il rester séparé de sa sœur ?

La femme, clairement, était une hystérique, cliquetante sous ses oripeaux de richarde. Et alcoolique, en plus ! Vova s'y connaissait, depuis l'orphelinat.

Le monsieur restait un mystère, qui l'obsédait. Ce gros pacha plantigrade au regard dur et fuyant...

Vova fut brusquement interrompu dans ses réflexions. La porte venait de s'ouvrir sur le visage d'Agrippa. Le petit garçon sursauta et se mit immédiatement en garde. Les petits poings moulinèrent dans les airs sans impressionner le moins du monde le Pingouin. Dans un russe parfait, celui-ci prononça :

– Le repas est servi.

Vova sentit sa mâchoire se décrocher. Il lança sans réfléchir :

– Tu parles russe, le rat d'égout ?

Agrippa souleva un sourcil.

— Le rat d'égout, c'est toi. Petite vermine.

Le serviteur proféra ces paroles avec une telle solennité, une telle rudesse que, peut-être pour la première fois de sa vie, Vova ressentit une peur profonde. Tout son courage de caïd sembla se liquéfier. Le Pingouin esquissa un sourire. Il voyait clair dans le jeu de l'enfant.

— Dis-moi juste pourquoi les Français nous ont séparés. S'il te plaît.

— Tout ce que tu as besoin de savoir, tu le sauras à la fin du repas. Maintenant, avance… Rat d'égout.

Vova avala sa salive et serra les dents. Il n'avait pas d'autre solution que de suivre son guide.

En cheminant dans les couloirs, derrière le Pingouin, il passa devant une grande salle tendue de bleu, meublée d'une immense table taillée dans un bois foncé. Un lustre tombait du plafond, auréole de lumière multifacette, jetant ses feux sur la vaisselle argentée, remplie d'une soupe aux fleurs. Un spectacle le fit bondir. Sa sœur Gladys, frisée, maquillée outrageusement, était assise au beau milieu des froufrous d'une robe bouffante à cerceaux, sur un siège de velours écarlate. Renata, installée à côté d'elle, lui tendait des lampées de soupe dans une cuillère luisante. La petite ouvrait la bouche poliment, en prenant soin de ne pas faire filer son rouge à lèvres. Elle restait concentrée et immobile, à la manière d'une actrice, ou d'un pantin. Gladys ne remarqua pas la présence de son frère, dans l'encadrement de la porte. Elle était trop absorbée par le rituel. La femme, visiblement, jubilait.

Vova fit un pas vers l'embrasure. Agrippa, qui veillait au grain, replaça d'une main ferme le petit lion dans le rang.

– Maintenant, suis-moi en cuisine sans faire d'histoire.

Vova jeta un dernier regard sur le cirque pathétique de Mme Baldessari. Il connaissait Gladys, prête à tout pour un peu d'amour. *Tchort !* Et si on lui avait imposé un chantage ? Et si on lui avait dit, comme à Vova : « Obéis ou tu ne reverras jamais ton frère ? » Que pourraient-ils, ces deux petits-là, contre des grands aussi grands ?

Les adversaires de l'orphelinat étaient moins cruels, moins mystérieux…

Arrivé dans la cuisine des domestiques, Vova avala sans broncher sa soupe aux vermicelles. Pendant qu'il mangeait, le Pingouin, les pieds sur la table, le col un peu défait, se curait les ongles d'un air absent. Vova lécha son assiette jusqu'à la dernière goutte. Un vieux réflexe d'orphelin.

— Bon. C'est terminé, Rat d'ég?

Le petit garçon hocha la tête, le front creusé d'un pli d'appréhension.

— Maintenant je vais te raconter la suite. Il faudra que tu m'écoutes attentivement. Je n'ai aucune intention de répéter. Mme Baldessari va s'occuper de ta sœur. Tu n'as pas besoin de savoir ce que ça veut dire. La gamine ira à l'école et elle aura des jouets neufs tous les jours. Laisse-moi te dire que cette petite truie ne manquera de rien.

Ce disant, Agrippa renifla bruyamment. Un bruit d'ogre, se dit Vova, terrifié.

— Toi, tu resteras avec moi, à la maison. Tu m'obéiras. Au doigt et à l'œil. Si tu me donnes le moindre fil à retordre, tu perds ton droit de visite.

— Mon… mon droit de visite? articula le garçon en tremblant.

— Tous les samedis, de seize heures quinze à dix-huit heures. Dans la chambre de la petite princesse. Tu ne reverras plus M. Baldessari. Ses fonctions l'obligent à de nombreux déplacements. Et laisse-moi te dire que ce salaud-là ne risque pas de manquer de boulot ! Voilà ta nouvelle famille. J'espère qu'elle te plaît plus qu'à moi. Tu as des questions ?

Vova chuchota presque malgré lui :

— Pourquoi ils sont si méchants ? Pourquoi tu es comme ça ?

Agrippa eut un regard troublé. Il regarda ses pieds et grommela :

— Hum… Il vaut peut-être mieux que tu saches. Les Baldessari ont perdu une gosse, l'année dernière. Une fillette, une blonde. Un petit être bien au-dessus de ce que vous serez jamais…

Il continua avec un sourire redevenu sinistre :

— Pas besoin d'être un ponte pour comprendre, pas vrai, Rat d'ég ? Ta sœur va jouer le bouche-trou…

— Le bouche-trou ? Qu'est-ce que ça veut dire ?

— Ça veut dire que ta sœur va jouer à la remplacer, triple idiot.

— Et… et moi ? lâcha Vova après un court silence.

— Toi ? s'exclama le géant d'un air dégoûté. Pour toi, pas de rôle dans la distribution.

Vova sentit le monde se dérober sous ses pieds. Il ânonna du fond de son cauchemar :

— Est-ce qu'il y a des marionnettes, ici ?

Pour toute réponse, Agri éclata de rire.

— Maintenant, va te laver. Et dormir. Demain,

la journée commencera tôt. J'espère que tu aimes le poisson.

Le Pingouin se leva. Tout était dit. Le pacte ainsi scellé allait lier les jumeaux pour plus de sept ans. Sept ans d'enfermement, de labeur, d'humiliation. Sept ans à trembler et à espérer que des jours meilleurs succèdent enfin aux jours sombres. Sept ans de répartition immuable des rôles. Gladys figée en poupée pour grande personne. Ligotée, fagotée dans des robes de bal improbables, sans vie pour elle-même, sans répit. Vova réduit au silence, à l'attente et au travail. Les jumeaux transportés malgré eux dans un univers étranger virent leur pente naturelle se radicaliser. Gladys « la trop aimée » étouffa sous la volonté malade de sa « mère ». Vova le toujours « indésirable » fut rejeté au royaume des proscrits, chez les intouchables, et rejoignit la cohorte des enfants haïs.

Ils oublièrent Varvara ; ils oublièrent Mémé ; ils oublièrent le fantôme de leur mère. Ils oublièrent même que, dans les contes, les petits enfants comme eux triomphent des épreuves.

Ils oublièrent tout.

II
RUSSES BLANCS SUR NOIR, PLUS D'ESPOIR

CHAPITRE 7
Mémoire d'une jeune fille rangée

C'était vers le milieu de l'après-midi. Un chardonneret modulait sa romance dans les feuilles du tremble qui frôlait les fenêtres du manoir. D'un coup d'aile, l'oiseau, sans doute attiré par les jeux de lumières sur la surface de la vitre, quitta sa branche et bondit sur le rebord. Tout en pépiant, les pattes bien écartées, il secoua ses ailes. Le regard tressautant, la tête droite, il sembla fixer l'intérieur de la pièce, derrière le carreau. Sur ses petits yeux noirs, en bouton de culotte, s'imprima la vision en négatif d'une chambre Chantilly avec, au centre, une silhouette de jeune fille, en robe à cerceaux, penchée sur un ouvrage. Le chardonneret piaffa encore un peu, puis s'envola.

Dans sa chambre, l'adolescente endimanchée était

plongée dans sa lecture. Une bulle de bonheur fébrile l'entourait. Sur son front plissé, on pouvait lire la menace d'en être arrachée à tout moment.

Elle était accoudée à son bureau et lisait, comme un condamné à mort profite de sa dernière cigarette. Un rayon de soleil jouait dans ses cheveux teints, éclairait son visage bouffi, luisant de beurre. Du doigt, elle parcourait le papier glacé, dévidant le fil enfiévré de sa lecture, absorbée et absente au monde.

Tout à coup, la tartine qu'elle tenait dans ses mains glissa et s'étala, avec toute la cruauté dont un objet est capable, sur ses cuisses moulées d'organdi. Immédiatement, la substance grasse fit ses ravages. De larges auréoles concentriques se dessinèrent sur le tissu cerise. Distraitement, la jeune fille ramassa les restes du pain et épousseta les miettes. Elle n'eut pas même un regard pour sa coûteuse robe désormais fichue.

Ce qu'elle lisait? Le tout nouveau *Grazelle*, évidemment. Renata avait accepté d'abonner Gladys, une concession que la fillette avait dû négocier avec âpreté, plusieurs mois durant. Depuis, chaque lundi, Gladys dépiautait hystériquement le plastique de l'emballage et ouvrait, le cœur battant, le trésor miroitant des chroniques adolescentes. Comme elle les adorait, ces défilés de visages parfaits et de corps longilignes, inatteignables ! Comme elle les vénérait ces étoffes, ces drapés, ces gestes qui les animaient ! Elle collectionnait les numéros, amassait les objets inclus dans la promotion de la semaine, en chargeait religieusement ses étagères. Gladys connaissait tout de la vie de ses mannequins-vedettes, de ses actrices préférées (dont elle ne voyait jamais un film en vrai, Renata ayant décidé une fois pour toutes que la petite se contenterait de son foutu magazine), placées au rang de divinités dans son panthéon d'adolescente boulotte et sans amis.

Ces moments passés à lire sa revue étaient, à peu de chose près, les seules escapades de Gladys dans le monde extérieur, au-delà de la maison où on l'enfermait, jour après jour, à engraisser et à languir, au-delà de l'école où elle croupissait, en proie à la méchanceté de ses camarades. Elle trouvait dans ces pages un réconfort pourtant cruel. Le miroir qui lui était tendu paraissait bien inapprochable. Mais il suffisait à la jeune fille de durcir son esprit, de filtrer le réel pour se croire digne de ces créatures de rêve affichées dans les pages. Le tout était de rester concentrée, d'oublier les bourrelets, le ventre gras et pendouillant, le visage rougeaud, couperosé, les cheveux abîmés à force de permanentes. D'oublier aussi les tenues bariolées, les froufrous, les rubans, les anglaises.

Parfois le voile se déchirait. La réalité la percutait de son fouet de corde, et la petite se mettait à sangloter, crevant son chagrin. Mais les larmes étaient de courte durée. Renata avait défendu qu'on pleurât.

Ce jour-là, Gladys profitait d'une pause dans son emploi du temps pour parcourir encore une fois un article, qui l'avait intriguée, à propos d'une actrice somptueuse qui venait de recevoir un prix et crânait sur le tapis rouge.

Gladys finit sa lecture dans un état d'enchantement et essuya inconsciemment les restes de beurre sur son large col en dentelle. Elle bâilla, se frotta les yeux et continua d'éplucher la suite. Un mariage princier, un divorce odieux, trois soirées arrosées et un coup de poing dans la figure (appliqué par une vedette rock sur le faciès d'un rival aviné). Puis cette nouvelle, dans un encadré confidentiel :

La jeune Doutzen Amarillo jouera Agnès dans L'École des femmes, *dans l'adaptation cinématographique du classique de Molière. Ainsi que la top nous l'a confié, elle tournera devant les caméras dès le printemps prochain…*

Gladys continua de lire, en diagonale («robe Armada… dépoussiérer le théâtre de papa… folle de joie et morte de trac… »), puis glissa un regard sur la fille en question. Pour la première fois, Gladys eut une réaction de recul. Des lèvres gonflées à l'hélium, un décolleté plongeant, des cannes maigrichonnes perchées sur des talons jaune pétard. Qu'est-ce que cette grue pouvait comprendre à Molière? À cette pièce, en particulier?

L'École des femmes…

Gladys l'avait lue avec la classe, quelques années auparavant. Un de ses rares bons souvenirs. Elle frissonna. Sa mémoire douloureuse venait de refaire surface. En son esprit se formèrent immédiatement de lourds bataillons d'angoisse.

L'école! Gladys avait appris à la détester. Un ramassis de gosses de riches, aussi ineptes et fielleux les uns que les autres. L'école… Tant de rêves s'étaient imprimés un jour dans ces cinq lettres-là. Quelle déception!

À l'orphelinat, les enfants étaient parfois rudes entre eux, mais la discipline de fer maintenue par Natacha Philipovna avait empêché une quelconque «loi du plus fort» de s'installer. Le monopole de la violence, c'était elle qui le détenait. Restait aux pauvres gosses à se serrer les coudes. Quand Gladys était chouchoutée, les autres enfants l'enviaient, mais ils ne le lui faisaient pas payer. Elle était si bonne, d'ailleurs, que les orphelins la remerciaient, l'encourageaient. Celle qui savait parler aux brutes, qui savait les hypnotiser bénéficiait du respect inconscient des gamins. À l'école parisienne huppée où elle fit ses premiers pas un jour de septembre, Gladys apprit cruellement à ses dépens que les règles qui prévalaient dans la société des enfants «lumpens» ne s'appliquaient guère à celle des enfants privilégiés. Qu'ultragâté signifiait aussi ultrapourri.

Gladys était pourtant, du moins au début, une élève modèle. Elle avait appris le français à une vitesse impressionnante. Les premiers mois, elle s'était accrochée comme elle avait pu à ces instants où elle échappait à sa marâtre. Elle savait qu'à la maison elle n'aurait pas le loisir de découvrir ces nouvelles choses : la géographie, l'histoire, la poésie, les mathématiques… Elle accumulait le maximum d'informations pour les transmettre à son frère, durant leur rendez-vous du samedi. Elle lui faisait classe, et un peu de sa culpabilité à l'égard de Vova s'estompait.

Assez vite, pourtant, avec la maîtrise de la langue

vint la conscience de la méchanceté de ses congénères. Sa bulle éclata le jour où elle comprit. Quand les élèves de sa classe échangeaient des blagues sur la « vache russe », ils parlaient d'elle. Quand ils criaient : « Pas toi, sale grosse baleine », c'était elle qu'ils rejetaient. Quand ils la poussaient, lui collaient des chewing-gums dans les cheveux, quand ils l'entouraient en ricanant et en la pointant du doigt, c'était de la haine qu'ils montraient. Il faut dire que très vite, dès les premiers mois, Gladys, surnourrie par Renata, avait pris des fesses, du ventre, sans compter les affreux déguisements que sa marâtre lui imposait. Cette apparence n'aidait guère son intégration, certes, non. Ni sa gentillesse rare, son exquise attention aux autres, qui furent tenues pour une preuve de profonde débilité.

Les maîtresses l'avaient protégée tant bien que mal, sur l'injonction de la Baldessari. Mais leur action maladroite n'avait fait qu'envenimer la situation, et les relations de Gladys avec ses camarades français s'étaient rapidement dégradées. Chaque jour, Gladys goûtait le pain amer du rejet et de l'exclusion. Elle s'était mise à détester l'école presque autant que l'antre des Baldessari. Renata, justement, trop heureuse d'y trouver l'occasion de la couver encore davantage, ne fit rien pour l'aider. Au contraire, un jour que Gladys avait été dûment aspergée d'encre et délestée de sa montre en or, Renata avait surgi dans les classes, munie d'une bombe lacrymogène, et, les cheveux dressés sur la tête, vomissant des insultes et des cris de bête, avait aspergé les élèves en guise de représailles. Tout le monde avait eu les yeux abîmés, plusieurs parents avaient porté plainte, et les intimidations contre Gladys avaient redoublé.

Gladys avait la gorge serrée rien qu'à y repenser. Elle soupira. Pourtant, un beau moment s'était glissé dans ce cauchemar : il y avait eu aussi *L'École des femmes*. Son professeur de français, en classe de sixième, leur avait demandé de l'acheter et de le lire. Tous les autres élèves avaient rechigné, évidemment. Tous avaient critiqué. Mais Gladys avait dévoré le livre, qui parlait si bien d'elle. Cette Agnès innocente, enfermée, à la merci d'un barbon, lui rappelait sa destinée d'orpheline, fabriquée pour satisfaire le désir d'un autre. Gladys, en cachette, avait appris la scène du « petit chat ». Elle l'avait récitée à son frère, durant l'une de leurs rencontres. Il avait souri tristement. Gladys avait vu dans son regard de la pitié.

Gladys n'avait jamais oublié ses répliques. Elle se les répétait parfois, en les roulant au fond de son cœur. Gladys ne savait plus si l'article sur la jeune Amarillo lui plaisait ou non, s'il ravivait une blessure, ou s'il l'apaisait. Elle ferma la revue et posa sa tête sur ses bras, tout contre la fenêtre ensoleillée.

*
* *

— Qu'est-ce que tu as fait à ta robe !

Le hurlement arracha Gladys à sa rêverie. Elle se redressa aussitôt et contempla avec horreur les dégâts occasionnés par sa distraction. En moins de deux secondes, elle se retrouva le coude pincé par une poigne de fer, et secouée comme un prunier. Sa «mère», Renata, malgré son aspect sec de vieille branche, cachait sous ses tenues vaporeuses fantaisie une musculature nerveuse et redoutable. Gladys comprit immédiatement qu'elle allait goûter la médecine autoritaire de sa mère. Elle tenta de se libérer, mais en vain. En un tournemain, la jeune fille fut déshabillée, au milieu des cris et des invectives.

— Les dames du club arrivent dans un quart d'heure, petite souillon ! Tu t'es cochonnée ! Tu as gâté ta tenue ! De quoi vas-tu avoir l'air ? Et moi ? Et la séance ?

Et Gladys, nue comme un ver, se tortillant de honte, de répondre :

– Mère, je suis impardonnable ! C'était un accident ! Je vous le jure !

– Petite truie ! Tu ne mérites pas le mal que je me donne ! Tu regardais ta maudite revue. Avoue, je le sais !

Une gifle cingla la joue rose de Gladys.

En quelques minutes, la jeune fille fut rhabillée, recoiffée, remaquillée, et ressembla de nouveau à une meringue. La crise s'estompa. Renata contempla son œuvre d'un œil brillant.

L'humeur était revenue soudainement au beau fixe.

– Que tu es belle, ma chérie ! Nous ferons de magnifiques photos tout à l'heure.

Agrippa s'avança sur le pas de la porte. Il annonçait l'arrivée des invitées du club, pour le goûter hebdomadaire. Gladys ne put se retenir de frémir. Renata la poussa dans le dos :

– Viens ! Viens vite ! Allons les accueillir, mon ange ! Fais plaisir à maman, comme toujours, n'est-ce pas ?

Année après année, mois après mois, semaine après semaine, chaque lundi voyait déferler le même troupeau de vieilles femmes, aussi riches que désœuvrées, dans le salon au zèbre de Mme Baldessari.

Femmes de notables, de hauts fonctionnaires, de commerçants très enrichis, elles avaient vu leurs enfants quitter le nid. Depuis, rien ne retenait plus leur penchant pour le scotch. Avec le temps, Gladys avait appris à en apprécier quelques-unes. Mais dans l'ensemble, ces réunions étaient pour elle une torture, d'autant plus qu'elles interrompaient la lecture de son *Grazelle* fétiche. Il fallait s'y soumettre, cependant. Sous peine d'irriter Renata, de perdre l'abonnement et le droit de visite de Vova. Gladys prépara donc son plus joli sourire.

– Mon Dieu, Renata, quelle belle robe porte ta fille !

Celle qui parlait, une grosse dame à chapeau cloche dont le mari était milliardaire, tenait déjà en main un porto tonic et tanguait, proue au vent, vers le canapé.

– Délicieux, délicieux ! s'écria, la bouche pleine, une brindille blanchâtre en tailleur violet.

– C'est nouveau, cette statuette ? Renata, ma chérie, tu as un goût exquis ! prononça sentencieusement une figue séchée à dents en avant qui devait chausser du quarante-trois.

– Merci, mes amies ! Asseyez-vous ! Sylviane, saisissez le pouf ! Agrippa, les pièces montées !

Il y eut un « ah ! » quand le gâteau arriva, une tourelle rose, crénelée de pâte d'amandes et de perles argentées. On mangea en mastiquant fort et en se coupant la parole. Puis vint la digestion, le temps des potins. Gladys, assise par terre aux pieds de Renata, en profita pour rêvasser. Que faisait Vova en ce moment ? Était-il en cuisine, occupé à désosser des pièces de bœuf avec le chef Walpurgis ? À battre le pavé ? À s'esquinter à décharger des caisses, ou à nettoyer les dépendances ? Gladys ne pouvait y songer sans avoir le cœur brisé. Toujours silencieuse, elle contempla Renata, qui s'était lancée dans une diatribe éméchée. Sa marâtre avait changé depuis la première fois qu'elle l'avait vue, à l'orphelinat. Elle était encore presque jeune à l'époque. Elle buvait déjà, évidemment. Depuis la mort de la petite, de la « précédente », c'était devenu comme une fatalité. Peu à peu, Renata avait plongé plus profondément dans la folie, la détresse, le besoin de s'étourdir.

Gladys le savait bien. Ce qu'elle était, ce qu'elle faisait ne suffisait pas. La blessure ne guérirait jamais.

À présent, Renata faisait peine à voir. Elle ressemblait à une faux, à un archet trop tendu, dont il ne sortait que des sons stridents. M. Baldessari, lui aussi, avait pris un coup de vieux depuis leur rencontre, sept ans auparavant. De bon nounours il s'était transformé en crapaud ranci. C'était l'image que Gladys avait dans la tête en pensant à lui. Elle les haïssait et, pourtant, elle avait pitié d'eux.

Dans le brouillard de sa rêverie, Gladys perçut un ordre, lancé à son endroit :

– Récite-nous ta comptine, chérie ! C'est tellement adorable !

Gladys secoua ses anglaises en signe de surprise. Cela faisait si longtemps que Renata ne lui avait pas demandé ce genre de démonstration humiliante.

– Tu sais bien, voyons… Ne fais pas l'idiote.

Gladys osa :

– Vous aviez promis que vous ne me demanderiez plus.

La marâtre gonfla ses yeux noirs. Le geste ne souffrait pas de réplique. Autour d'elles, un silence tendu s'était installé. Gladys craignit un éclat. Il y en avait eu tant, chacun d'eux commençait de la même façon…

– Bien, mère.

La jeune fille trop grosse grimpa sur un tabouret, agitant ses rubans et ses plumes. Puis elle se redressa, les larmes aux yeux, leva haut le menton et prononça son compliment ridicule.

Renata battit des mains. À demi couchée sur le canapé, elle tressaillit, les yeux mi-clos. Elle avait écouté la poésie dévotement. Elle exigea que Gladys recommençât. Les vieilles dames du club, rangées comme des quilles, ne bougeaient plus. Le soir tombait. Gladys récita de nouveau sa comptine.

– Tu verras, ce soir, ma chérie. Nous serons ensemble… marmonna Renata dans un état second.

Gladys sut qu'elle allait devoir subir l'une de ces séances de pose, dans le grand atelier photographique. Un élan de lassitude lui étreignit le cœur. Quand cette vie finirait-elle ? Quand seraient-ils libérés, Vova et elle, de leur existence de pantins ? Son esprit appela la délivrance, appela son frère bien-aimé.

CHAPITRE 8
Rencontre avec un hippocampe

Vova regardait frétiller les daurades royales, gigan-
tesques, dans la caisse de polystyrène bourrée de cristaux de glace. Sa vue se troublait, il avait faim.
Un rayon de soleil timide se brisa sur les glaçons et
se réverbéra sur les écailles et les ouïes écarlates.
Le garçon bâilla et se frotta les yeux. Comme tous
les matins, il se tenait au cœur de l'aube, prostré et
engourdi, debout face à un énorme camion de livrai-
son. Selon le rituel, il attendait qu'on lui tendît des
cageots fondants de denrées aquatiques. Ces caisses,
il lui faudrait les porter dans la remise de Walpurgis,
le cuisinier des Baldessari, qui en ferait des bouchées,
des fumets, des gelées et des coulis. Des mets frais,
précieux, succulents dont l'adolescent ne sentirait
jamais que l'odeur.

Vova, toujours à moitié somnolant, discerna les

criaillements d'une grosse voix bourrue, celle d'Agrippa, qui résonnait depuis les dépendances. Lui aussi était réveillé depuis les premières lueurs du jour, et lui aussi travaillait dur pour contenter les maîtres des lieux.

Le Pingouin, le dos courbé, s'essuya le front. Il était déjà en nage, à force de batailler du coutelas contre des coquilles récalcitrantes. Il semblait usé, tel un vieil élastique tiré jusqu'à la corde. Il murmura :

— Tant qu'ils ne nous auront pas siphonnés jusqu'au trognon…

Depuis le temps, Vova avait appris à ne plus entendre ni ses cris d'ogre ni ses radotages de vieux grigou. Il avait appris à connaître le Pingouin pour ce qu'il était. Un esclave de Renata la reine mère, un captif de ses caprices, un asservi des lubies de ce couple étrange. Agrippa ne valait pas mieux que lui sur le marché des dupes, sur le cours de l'opprimé. La vérité, c'est que le Pingouin crevait de frustration, et que c'était même là l'origine de toute sa méchanceté.

Vova sourit. Il dodelina de la tête, perdu dans ses pensées.

Les premières années avaient été terribles avec Agri. Vova avait certes l'habitude d'être battu.

À l'orphelinat, il n'y avait eu que Gladys pour ne (presque) jamais recevoir de taloches. Mais, avec ce Russe blanc et noir, c'était pire que d'être tabassé par des infirmières soûlardes. Le petit garçon, à son arrivée chez les Baldessari, avait été méprisé, nié, tenu pour néant.

À l'orphelinat, il avait gardé sa dignité de fier-à-bras jusqu'au bout, jusqu'à la dernière seconde. Personne ne la lui avait contestée, d'ailleurs. À Paris, dans ce manoir où il vivait confiné et d'où il ne sortait que pour battre le pavé comme un cheval de trait, d'une course à l'autre, d'une corvée à l'autre, il avait perdu son amour-propre. Il avait dû se soumettre, absolument, à tous les donneurs d'ordres de la maison, sous peine de ne plus voir sa sœur.

Pendant des années, il avait attendu que le sobriquet de Rat d'ég se changeât en Gringale (plus neutre, et vaguement moins humiliant). Le petit garçon sauvage était rentré dans le rang. Il disait « Oui, monsieur », « Oui, madame », et ne regimbait plus jamais. La machine à bosseler s'était enrayée. Plus de jus dans le moteur pour la moindre révolte.

Pourtant, à l'aube de ses treize ans, Vova n'avait rien d'un gringalet. Le petit coquelet avait gagné en force et en taille. Son corps souple et affûté avait pris une vigueur peu commune. Agri, proportionnellement, avait perdu son aura de croquemitaine. Tout passe ainsi. À mesure que Vova croissait, Agrippa, lui, s'était ratatiné et amaigri.

Vova, devant sa caisse de poissons, continuait à songer. Combien de temps cette vie-là pourrait-elle durer ? Pour la première fois depuis des années, il se penchait sur son passé. Un peu comme un promeneur se penche sur les eaux d'un étang aux rives troubles, à la recherche d'une floraison réchappée de la boue.

Vova sentit son corps noueux se contracter davantage. Combien de temps pourraient-ils supporter cette séparation ? Gladys et Vova auraient pu affronter n'importe quelle privation, mais celle qui les forçait à être désunis était la plus cruelle, la plus injuste.

Tout comme Vova avait rangé ses griffes, Gladys, de son côté, avait fini par perdre son inaltérable équilibre, sa beauté alanguie d'enfant sauvage. La petite qui était arrivée à Paris, la frange droite et le visage pur, n'avait plus grand-chose à voir avec l'adolescente boulotte, aux cheveux violemment frisés au fer et entortillés dans des nœuds absurdes, à laquelle

Vova rendait visite chaque samedi. Gladys arborait un regard morne, un œil vidé de tout pétillement.

Vova voyait ces transformations. Il en souffrait, mais la fatigue, la faim, la peur l'empêchaient de penser juste, d'imaginer une issue.

Pendant les visites, Vova tenait Gladys aussi serré qu'il le pouvait, choyant le corps inanimé de sa sœur, privé de flamme.

La plupart du temps, ils ne disaient pas un mot. Gladys aurait été incapable d'exprimer exactement ce qu'elle ressentait. Son cerveau brouillé s'enflait d'une houle de tristesse, et elle non plus ne voyait plus d'issue. Elle restait toute la journée aux côtés de Renata. Son quotidien consistait à avaler des pâtisseries colorées, à poser pour d'innombrables mises en scène : Gladys devenait sous sa coupe, tour à tour, une petite mendiante en guenilles, une princesse des *Mille et Une Nuits*, une Salomé replète réclamant la tête du Christ, une Chinoise casseuse d'assiettes, une Indienne offerte en sacrifice à des dieux étranges, une fée butinant dans un jardin d'artifices… Renata l'habillait et la déshabillait dix fois par jour. Renata la prenait en photo, pour immortaliser l'instant. Renata la peignait, la maquillait, puis la nourrissait encore et encore. Quand Gladys voyait Vova, elle ressentait, plus que tout au monde, la honte de ce qu'elle était devenue.

Vova s'en rendait bien compte. Il lui disait, sans y croire, le regard broyé :

— Que tu es belle, Gladys ! Tu verras, on s'en ira d'ici un jour et on retrouvera Varvara. On retournera dans le pays de Mémé et on quittera ces diables... Un jour, je te promets, notre mère reviendra...

Gladys souriait tristement et soupirait en secouant la tête.

— Reviens me voir samedi prochain. Tant que tu vivras, je vivrai.

*
* *

Ce matin-là, donc, Vova, plongé dans la contemplation des daurades et des turbots, ramenait à lui des souvenirs moroses. Tout à coup, un éclat de soleil vint se ficher dans son œil, le forçant à cligner. C'est alors qu'il aperçut, au fond du baquet glacé, un hippocampe perdu parmi les écailles. Un petit cheval tout verruqueux, la queue tire-bouchonnée, le rostre minuscule, version poney ébaubi.

— Ah ! lâcha le garçon. Un cheval des mers !

Et il saisit l'animal au creux de sa paume, en écarquillant les mirettes.

— Mais tu vis encore, tête de pioche !

Ni une ni deux. Pas le temps de réfléchir. Pas le temps d'avoir peur des conséquences, des punitions, des privations à venir. Même pas le temps de réfléchir à ce que cet hippocampe symbolisait vraiment. Vova, le poney en main, courut en cuisine, direction local à bocaux. Quand Walpurgis, qui touillait déjà une rouille, le vit arriver, il gonfla son torse de chimpanzé et postillonna :

— Qu'esse tu fiches, Gringale ? Tu crois que les caisses, elles vont s'monter toutes seules ?

— Oui, monsieur ! répondit Vova en accélérant.

— Quoi ?

— Non, monsieur ! corrigea l'adolescent, qui avait déjà disparu.

Le cuisinier roula des yeux ronds. Il s'attendait à des excuses, mais, ne voyant pas Vova revenir, il se remit à son touillage en maugréant. Il était plus gueulard que réellement méchant.

Une fois dans le local, Vova farfouilla sauvagement. Il lui fallait un récipient, fissa, et de l'eau de mer. Bingo ! Entre deux conserves de fraises des bois au piment d'Espelette : un bocal vide. De l'eau, il y en aurait sûrement du côté des frigos à poissons. Vova glissa délicatement son hippocampe dans le récipient en verre, et se remit à galoper, en passant devant Walpurgis et même devant Agrippa, qui venait de surgir la mine chafouine et le front en sueur, dans l'encadrement de la remise.

— Mais qu'est-ce qu'il a, *Boje Moï* ? Qu'est-ce qui se passe dans sa caboche à çui-là ? Tu veux que je te torde le cou, par les cinq démons de mon père !

Le petit cheval allait finir par s'asphyxier. Pour toute réponse, le feu follet vociféra :

— Tu vois pas que je sauve un hippocampe, *tchort de tchort* !

La mâchoire des deux corbeaux se décrocha. Agrippa fit un pas pour choper l'adolescent, histoire de tenir en échec ce qui ressemblait fort à une rébellion. Walpurgis l'arrêta dans son élan.

— Laisse le petit. Tu vois bien qu'il est content…

Effectivement, ce que ressentait Vova en cet instant ressemblait à de la joie. Cet hippocampe, c'était une renaissance instinctive, une résurgence de son ancienne vie. Il était heureux, le gamin, sans bien comprendre l'intensité de son bonheur.

Il parvint enfin à remplir le bocal d'eau de mer. Le cheval reçut la rasade rassasiante sur le coin de sa minicaboche et tourbillonna comme un fétu. Difficile de dire s'il appréciait.

Il se repose, espéra Vova.

Le garçon observa le corps crénelé, bourré d'antennes alambiquées. Il priait pour que cet animal bizarroïde revînt à la vie. Agrippa apparut à nouveau dans l'encadrement de la porte. Le serviteur, les mains croisées derrière le dos, tenta un plus doux :

— Dis donc, Gringale…

Mais il fut immédiatement coupé par le garçon.

— Chut ! Tu vas voir, il va renaître… Il va renaître !

Agrippa fronça les sourcils. Contre toute attente, il ne dit rien et même recula. Il n'avait plus le courage nécessaire pour arracher le gosse à son émerveillement. Les caisses attendraient. Si la Baldoche avait quelque chose à lui dire, eh bien, elle le lui dirait, et ce serait tout.

Vova, couvant presque le bocal, retenait son souffle. Il fallait qu'il vive. Il fallait… il fallait…

Tout à coup, la bête se tordit dans un hennissement muet et se redressa, droite comme un I, la queue frénétique en cordon à sonnette.

— Gladys ! cria Vova à sa sœur absente. Il faut que tu voies ça !

Et, les larmes aux yeux, l'adolescent serra l'aquarium de fortune contre sa poitrine.

Agrippa, qui regardait la scène, fut rejoint par Walpurgis. Le cuisinier interrogea muettement le factotum. Celui-ci haussa les épaules. Il n'y comprenait rien. Son esprit de paysan géorgien était dépassé. Pourtant, les deux hommes ne pouvaient détacher leurs yeux de ce petit enragé qui dorlotait son hippocampe rescapé comme si la vie elle-même était contenue dans le bocal.

Dame, il semblait possédé ! Et sans le quitter des yeux, ils pressentirent les changements à venir…

Ils ne se trompaient pas. Quelque chose de grand et de pur venait de croître brusquement dans le cœur du garçon. Quelque chose que l'on croyait irrémédiablement fané. Vova serra les poings et se redressa. Le soleil matinal jouait dans ses cheveux ras. On aurait dit un casque d'or.

CHAPITRE 9
Révélations et dévoilements

— Tu n'vas pas emmener ton bocal en course, tout de même, Gringale ?

Agri semblait sincèrement consterné.

Un peu plus loin, Walpurgis, qui les observait, pouffait bruyamment. Il était mort de rire, le cuistot ! Cela faisait bien vingt minutes que le pauvre Pingouin cherchait le moyen de faire entendre raison à Vova.

Mais le garçon tenait son bout, ne pliait pas.

— Si je le quitte maintenant, il va mourir. Je ne le lâche pas.

— Mais… déplora Agri à court d'arguments.

Il se gratta la tête, jeta un coup d'œil à Walpurgis et lui tendit un poing maugréant.

— Va! *Baste[7]! Tchort de tchort!* Emmène-le, ton canasson...

Vova bondit de joie et regretta immédiatement son geste en voyant la binette du pauvre petit cheval secoué.

— Là, tout doux!

Vova remercia Agrippa du regard. C'était bien la première fois que le Pingouin se laissait amollir.

— Allez, viens! On va faire un tour chez les fournisseurs du passage des Ruches.

Et le grand vieux dadais décocha une bourrade dans le dos de Vova.

Tous deux se mirent en marche. Ils descendirent la rue des Saules, rejoignirent les Batignolles, sans se parler. L'air du matin était encore vif, mais le soleil réchauffait l'atmosphère. On sentait que la journée allait être éclatante.

Alors qu'ils descendaient l'interminable escalier en pierre, Vova demanda:

— Toi, Agrippa, comment t'es-tu retrouvé à servir dans cette maison? Tu es géorgien, non? Qu'est-ce qui peut bien mener un paysan de Soukhoumi dans les ruelles de Paris?

7. Ça suffit!

Son compagnon se figea net et fourra rageusement les poings dans ses poches.

— Depuis quand tu es autorisé à poser des questions comme ça ? bougonna-t-il.

Aussitôt, le Pingouin s'enfargea dans ses lacets
et faillit s'étaler sur les pavés.

— C'est de ta faute, morpion ! déclara-t-il en
reprenant l'équilibre.

Vova sourit. Le garçon ne semblait pas déconte-
nancé pour un sou.

— Réponds-moi, sans faire le croquemitaine.

Le Pingouin maugréa, les mains toujours enfon-
cées dans les poches. Il fixait le trottoir, jonché
d'ordures et bordé de massifs de thuyas.

— C'est une histoire triste, Gringale. Pas envie de
la raconter…

Vova, tout en marchant, jeta un coup d'œil à son
hippocampe. Il attendit un instant, puis dit d'une
voix très calme :

— J'ai envie de l'écouter, ton histoire. Je m'y
connais en tristesse.

Agrippa regarda le petit. Vova crut lire dans ses
yeux un éclat, très nouveau, de tendresse. Le Pingouin se redressa, ôta les mains de ses poches et
huma l'air de ses grandes narines.

— J'avais vingt-trois ans quand je suis arrivé ici. La première chose que j'ai vue, c'est le dôme du Sacré-Cœur. Un pauvre gamin, que j'étais…

Et il cracha par terre.

— C'est une histoire surtout banale, quand on y pense. C'était tellement pauvre, par chez moi. J'étais le cadet. Mon père a légué la ferme à mon idiot de frère aîné. Une coutume de notre coin, le droit d'aînesse, que ça s'appelle… Une coutume bien injuste, tu peux me croire. Enfin, quand notre père est mort, mon alcoolique de frangin a repris le lopin ancestral. En deux coups de cuillère à pot, les bœufs ont été vendus, les blés ont séché sur pied, les sources se sont taries. Importantes, les sources, quand il fait très chaud, tu vois…

— Je viens du Caucase, pas très loin de chez toi. Je connais le climat.

— Ah, oui ! c'est vrai ! J'oublie tout le temps, répondit candidement le grand Pingouin. Bref. Voilà que tout périclite, adieu veaux, vaches, camions. Moi, pour faire le fier-à-bras, et puis parce que je détestais mon frère, je suis parti. Gagner de l'argent chez les riches du Nord. Me suis retrouvé là, coincé à Paris, sans pouvoir repartir, avec mes idées noires et ma nostalgie. Tu vois, mes montagnes me manquent, surtout quand il fait soleil. Là-bas, les rayons frappaient les glaciers. C'était beau. Ça sentait bon l'air pur. Ici, ça pue. J'avais des amis, de la famille. On faisait des banquets du vivant de mon père. Ici, je n'ai personne. Fait pas bon vieillir, crois-moi… et fait pas bon être un pauvre vieux comme moi. Un esclave, voilà ce que je suis.

Vova s'arrêta au beau milieu du trottoir.

— Pourquoi tu ne repars pas ? s'étonnait le garçon.

Agri se gratta la tête. Il hésitait à continuer. Jusqu'ici, il s'était livré avec une confiance que Vova ne lui connaissait pas.

— Y a des choses que tu ferais mieux de ne pas savoir, petit, déclara le Pingouin en enfonçant profondément les poings dans ses poches.

La fenêtre de confession venait de se fermer brutalement. Vova serra le bocal et n'insista pas. Après tout, ce qu'Agri venait de partager était leur échange le plus intime depuis sept ans. Mieux valait ne pas briser le charme.

Ils continuèrent leur chemin. Au bout de quelques minutes, le vieux serviteur lâcha presque malgré lui :

— C'est que, tu comprends, vaut mieux pas que je m'attache. Je préfère ne pas trop te connaître. C'est mieux comme ça. Je te gueule dessus, tu m'obéis, et on est tranquilles.

Vova haussa les sourcils. Il comprenait confusément.

— Tu as peur d'avoir mal encore? À cause de l'autre enfant qui est m...

Vova n'eut pas le temps de finir. Agrippa, les mains sur les tempes, l'interrompit.

— Ne dis pas ça! N'en parle pas... s'il te plaît.

Vova regarda ses pieds et reprit sa route derrière le serviteur. Décidément, la conversation soufflait le chaud et le froid. Il y avait tant de mystères dans la vie de ces grandes personnes. Agri avait dû beaucoup souffrir pour en arriver là...

Ils passèrent devant la vitrine d'une librairie. Une belle façade, fraîchement peinte en rouge, qui scintillait dans la lumière. La vitrine était étincelante. Des livres dorés, argentés, cuivrés, de toutes les couleurs y étaient disposés. Mécaniquement, Vova colla son nez sur la vitre. On aurait dit une caverne miraculeuse. Vova poussa un petit cri de joie muette. Agri rit de le voir si excité.

— T'as jamais vu de livres, Gringale?

– Regarde celui-là, Agri ! C'est un conte de notre pays ! Tu te rends compte ! Si Gladys voyait cela…

Agri, perplexe, approcha. C'était en effet un beau volume à tranche couleur d'ambre et à couverture écarlate.

– Je le connais, ce conte ! trépignait le garçon. C'est Boulat, le paysan devenu prince ! Varvara nous avait lu cette histoire !

Le serviteur écarquilla les yeux. Sa fermeté vacillait.

– Écoute, petit, nous sommes pressés et…

– Mais tu ne comprends pas ! Boulat est un pauvre garçon sans terre que ses frères ont chassé. Sur le chemin il rencontre le diable…

Agrippa n'y tint plus et demanda, avidement :

– Et ? Qu'est-ce qui se passe ensuite ?

– Le diable lui donne des vêtements magiques. Il promet à Boulat la fortune et la gloire. Boulat lui donne ses pauvres habits en échange, pensant faire une bonne affaire. Mais dès qu'il a quitté ses vieilles hardes et enfilé les nouvelles, il devient mauvais. Son cœur s'obscurcit, se remplit de haine. En passant sur la grand-route, il tue un marchand, lui vole sa cargaison et son cheval. Une fois devenu riche, il se montre arrogant, corrompu. Mais quand il arrive au palais, il tombe amoureux fou de la princesse. L'amour le tord en deux. Seulement, malgré toute sa puissance et sa gloire, un maléfice l'empêche d'approcher la jeune fille. Boulat comprend que s'il veut pouvoir l'aimer il lui faudra se dépouiller des oripeaux du diable…

– Mazette ! *Tchort !* Comment va-t-il s'y pren-dre ?

Vova éclata de rire.

– Tu vois, toi aussi, Agrippa, tu aimes ce conte ! Boulat prend son cheval. Il retourne à l'endroit où il a rencontré le diable. Celui-ci lui propose un mar-ché : si Boulat réussit les trois épreuves, le démon lui rendra ses habits…

Et Vova raconta comment Boulat triompha des ruses du tentateur.

– Et à la fin, Boulat récupère ses habits et épouse la princesse ? s'enquit Agrippa.

– Non, ce n'est pas si simple. Ensuite Boulat doit gagner le cœur de la belle. Mais c'est une autre histoire.

– Raconte-la-moi ! intima le vieux serviteur.

Vova fit mine d'hésiter.

– D'abord, dis-moi ce qui te retient chez les Baldessari.

Agri était à sa merci. Le vieux Géorgien voulait tellement entendre la suite qu'il lâcha :

— Ils gardent mes papiers d'identité dans une boîte scellée. Ils les cachent avec les lettres que vous recevez.

Vova, frappé par la foudre, bégaya :

— U… une l… lettre ? Quelle lettre ?

Agrippa se mordit les lèvres, mais continua. La bonde était percée.

— Pas une lettre. Des lettres. De votre orphelinat. Quelqu'un vous a écrit de là-bas. La Baldoche vous les cache, pour des raisons que tu peux imaginer. Elle porte la clé sur elle. Je n'ai jamais eu accès à la boîte. C'est Walpurgis qui me raconte tout ça…

Vova peinait à retrouver ses esprits. Qui pouvait bien leur écrire ? Varvara, à coup sûr ! Il fallait mettre la main sur ces lettres, impérativement. Pendant ce temps, Agrippa dansait d'un pied sur l'autre. Il attendait, ensorcelé, la fin du récit.

Vova raconta l'histoire. Mais dans son cœur troublé, la chamade ne cessait de battre. Quand ils arrivèrent rue des Ruches, le garçon s'assit dans un coin en attendant son maître. Il était rempli de questions. Mais pour la première fois depuis bien longtemps, il avait la certitude d'en trouver les réponses.

*
* *

Gladys était assise au bord de son lit à baldaquin. Elle contemplait le mur, enveloppée comme une dragée dans un costume d'Autrichienne fantaisie. Elle baissa les yeux. Sa robe à paillettes formait des plis sur son ventre, sa poitrine. Elle réprima un sanglot, mais une larme vint rouler sur sa joue. Gladys la laissa couler. Renata l'avait enfin laissée après une séance de photos dans l'atelier tendu de tulle rose qui lui servait d'écrin pour ses mises en scène.

— Joue avec tes jouets, mon cœur ! Je reviendrai te chercher pour le goûter. J'ai fait livrer des macarons, comme tu les aimes. Des violets et des jaunes. Et des caramels au beurre salé. On fera une dînette. Avant cela, maman doit s'occuper des vilains clients de papa ! Brrr… Vilains messieurs !

Elle avait cajolé Gladys encore quelques minutes, incapable de s'arracher à sa poupée adorée. Puis s'était éloignée à regret. Un petit geste d'au revoir avait fait cliqueter les bracelets pendus à ses bras maigres. Une moue douloureuse avait contracté son visage long, creusé de rides. Et elle avait disparu. Enfin.

«Tourne-toi vers moi, chérie», «Souris plus

grand» ou «Regard plus doux, tu es soumise!». Le plus dur, pour Gladys, c'était justement de contrôler ses regards. Pour que la haine ne perçât pas. Avec le temps, à force de refouler l'étincelle vraie, elle avait perdu sa spontanéité. Son monde intérieur, qui jadis s'allumait comme une lanterne magique pour la protéger, s'était éteint, petit à petit, jusqu'à n'être plus qu'un tas de cendres noires.

Cet après-midi-là, le cœur et le corps lourds, elle cherchait des raisons de ne pas en finir une bonne fois pour toutes.

Elle entendit cogner au carreau de sa fenêtre : le crissement doux d'une bordée de gravier.

Vova !

Gladys abandonna ses pensées sombres et se leva d'un bond. Quand elle se pencha, elle le vit, sautillant dans le jardin, à découvert ! Il outrepassait la loi la plus sévère, celle qui leur interdisait d'entrer en contact en dehors des plages réservées. Que faisait-il ainsi ? Joyeux ? Il en avait l'air ! Elle n'avait pas vu son frère dans cet état depuis des lustres. Gladys fronça les sourcils, dubitative. D'en bas, Vova lui faisait de grands gestes. Gladys prit peur. Et si on le voyait ? On le punirait ! La maison grouillait de mouchards, à commencer par Agrippa. La Baldessari allait revenir.

Qu'est-ce qui passait par la tête de ce morpion de malheur ?

Involontairement, Gladys sourit. Vova se tortillait comme un diable. Il cherchait à lui dire quelque chose. Elle colla son oreille à la vitre close. Elle ne comprenait pas ce que Vova bredouillait. Alors, la main tremblante, elle se décida à tourner la poignée et à ouvrir la fenêtre. C'était interdit, catégoriquement interdit ! Mais Gladys avait déjà commis l'irréparable. Après tout, si Vova courait un tel risque, c'était bien pour une raison. Il fallait lui répondre, l'aider.

— Gladys ! Il faut que nous récupérions les lettres !

La jeune fille recula, très inquiète. Son frère lui faisait l'effet d'un fou.

— De quoi parles-tu ? Vova, tu as l'air si pâle ! Est-ce que quelque chose ne va pas ?

— D'abord, j'ai sauvé un hippocampe ! Gladys ! Je n'ai plus peur ! Je vais te sauver comme je l'ai sauvé, lui, tu vas voir ! Ensuite…

Vova tourna la tête à gauche, puis à droite, craignant qu'on ne l'entendît.

— Ensuite, il faut que tu trouves la clé du grand secrétaire, Renata la porte sur elle. La marâtre nous cache des lettres, Gladys ! Des lettres nous attendent dans le grand secrétaire !

— Qu'est-ce que tu dis ? répondit la jeune fille, éberluée.

Vova dut répéter plusieurs fois. Gladys entendait, mais ne comprenait pas.

— Écoute, Gladys, je n'ai pas le temps de discuter davantage. Ce soir, il y a un repas ? Des invités ?

— O… oui ! bredouilla Gladys.

— Alors tu profiteras de cette occasion pour voler la clé. Je te donne rendez-vous dans la cuisine, à minuit. Débrouille-toi !

— M… mais ! Tu sais bien que je ne peux pas, que nous ne pouvons pas…

— Souviens-toi, Gladys, j'ai sauvé un hippocampe. Je te sauverai, toi !

— Vova ! Tu es fou, on va te punir !

— Je n'ai plus peur ! Gladys, tu vas voir !

Gladys se cacha le visage dans ses mains dodues. Elle reprit le plus bas possible :

— Je serai au rendez-vous, avec la clé. Attends-moi près des marmites…

Vova fit une nouvelle cabriole et sauta dans un bosquet. Il avait disparu. Gladys referma la cloison à la hâte, complètement affolée. C'était elle qui venait de dire cela ? *Boje !* Se pourrait-il que cette histoire de lettres soit vraiment le début de quelque chose ? La jeune fille n'eut pas le loisir de réfléchir davantage. Au même instant, Renata faisait claquer la porte de la chambre. Elle était échevelée et aussi tintante qu'une tirelire de Noël :

— Me voilà, ma Gladys d'amour, mon sucre d'orge ! On change nos plans ! Je t'emmène prendre ton goûter, et tout de suite après, papa te veut à ses côtés pour le dîner. Les Bulgares vont t'adorer ! Change-toi immédiatement. Prends la robe de marquise et mets ta perruque, tu vas les impressionner !

Gladys avala sa salive. Son cœur battait encore comme une locomotive. Se calmer, d'abord, il fallait se calmer ! Son souffle emballé refusait de reprendre son rythme. Gladys venait de repérer, au cou de Renata, un pendentif en or où étaient accrochés un coquillage, une charrette miniature et… une clé.

LA CLÉ !

— Qu'est-ce que tu as ? demanda la marâtre.

— Rien, mère ! Je vous le promets ! répondit la jeune fille en hâte.

Gladys était couverte de sueur, les joues couleur cerise. Pendant que Renata la préparait, elle songeait encore à ce que son frère lui avait dit avant de s'enfuir. Pour la première fois depuis bien longtemps, elle oublia sa tristesse et enfila ses oripeaux sans avoir l'impression d'entrer dans un tombeau. Pour la première fois, elle pensa à Varvara et souhaita très fort que les lettres vinssent de leur amie aux marionnettes.

CHAPITRE 10
Bulgares du soir, espoir

— Mais on dirait Dracula ! s'exclama Renata
Baldessari avec la brutalité qui la caractérisait.

— Le vampire vient de Roumanie, pas de Boul-
garie, madame, lui répondit sur un ton glacialissime
l'immense baraque velue qui lui faisait face.

— Oui, mais ce n'est pas loin, la Roumanie et la
Bulgarie. Ça se ressemble comme pays. On doit vous
le dire tout le temps, non ?

— Jamais, madame, trancha le colosse. Personne
n'ose, d'habitude.

Renata parut réfléchir un instant. Puis elle éclata
d'un rire tonitruant. Gladys, qui assistait à la conversation, sentit son dos se figer. Serge Baldessari discutait avec un autre Bulgare autour d'un cocktail
rhum-coriolan. Lui aussi tendait l'oreille. Il rappliqua

auprès de Renata, un sourire faux et crispé accroché au faciès.

– Ça va, vous deux ? Vous faites connaissance ?

Il embarqua aussitôt le vampire sans attendre la réponse de sa femme. Celle-ci, déjà un peu entamée par le kir impérial servi à profusion par Agrippa, se contenta de le fusiller du regard. Saisissant une autre flûte sur un plateau d'argent, elle en avala le contenu.

La fête battait son plein. Les pontes de l'Est parlaient fort en trinquant à qui mieux mieux. Serge avait l'air aux anges.

Renata continuait à siroter dans un coin. L'œil vrillant, mauvais. La marâtre contemplait les Bulgares en train de s'ébattre, tout en tire-bouchonnant une anglaise de Gladys. Agrippa passait dans les rangs, frôlait les caboches enivrées, servait et resservait suivant les ordres. Le vieux Pingouin avait l'air encore plus fermé que d'habitude. Gladys remarqua qu'il suait à grosses gouttes. Elle se leva pour prendre un macaron. À sa grande surprise, quand elle se fut approchée suffisamment, le Pingouin lui glissa :

– L'hippocampe est en vie !

Gladys écarquilla les yeux, mais le Pingouin avait déjà filé avec son plateau.

Boje ! Agri était-il dans le coup ?

— Ayoye ! Ayoye ! Ayoye !

Des cris emplirent la salle des fêtes. Gladys eut le réflexe de se boucher les oreilles. Cette soirée était décidément épouvantable. Heureusement, au bout de quelques minutes, Walpurgis, en grande livrée, entra dans la pièce et déclama le plus fort qu'il put :

— Ces messieurs sont servis !

Le cauchemar prenait fin, on allait passer à table, et très bientôt ce dîner ne serait plus qu'un mauvais souvenir. Gladys se sentait si anxieuse, si tendue ! Depuis le début de la soirée, l'adolescente se rongeait les sangs. Elle avait le cœur mortellement serré. D'un côté, elle espérait encore que Vova n'eût pas menti, de l'autre, elle redoutait qu'il ne s'exposât à un échec et à des représailles. Gladys savait qu'elle n'y survivrait pas. Elle avait vu un grain de folie dans l'œil de son frère : comment savoir si cette folie recelait tout de même un peu de sagesse ? Et puis cette clé, comment la récupérerait-elle ? Là était la question, épineuse entre toutes. Gladys n'avait aucun plan. Elle se sentait transportée dans un grand manège beaucoup trop rapide.

Une fois à table, le tourbillon pourrait s'apaiser. Une idée lui viendrait-elle ? Peut-être ?

Mais il était écrit que cette soirée serait une épreuve jusqu'au bout. Alors que tout le monde semblait installé pour le dîner, une voix nasillarde retentit :

— Gladys chérie, monte sur la table et chante-leur ta chanson !

La voix cinglante de Renata avait saisi Gladys au beau milieu de ses pensées. Pas chanter, pitié ! Entonner une rengaine devant une telle assemblée relevait de l'impossible, du complètement baroque.

Renata, qu'aucune bizarrerie n'effrayait jamais, prit son temps pour finir son verre et répéta son ordre. Cette fois de manière plus impatiente.

— Monte sur la table et chante. Je n'ai pas l'habitude de rabâcher.

Gladys lui adressa un regard affolé. Elle savait que ce ton-là ne souffrait aucun refus. Renata fit une moue de diablesse. Gladys bondit sur la table. Un réflexe. Elle n'avait que trop tardé à obtempérer.

La jeune fille souleva ses froufrous et ses cerceaux de minimarquise et, d'une voix peu assurée, débuta son compliment :

— Mesdames ze messieurs, voici… voici… Quoi, mère ?

— Improvise, Gladys ! Improvise ! Chante pour

moi une chanson de ton pays… articula Renata, les yeux fermés, visiblement en proie à une puissante ébriété.

Sa tête chancelante vint se loger aux creux de ses bras maigres.

– Chante n'importe quoi, mais chante, petite truie de mon cœur ! continua la marâtre, moitié hilare, moitié sorcière.

Gladys eut un court instant d'hésitation. Une chanson de son pays ? Quelle drôle de requête ! C'était bien la première fois… La jeune fille ferma les yeux. Elle ne connaissait plus rien, elle avait tout oublié ! Elle serra les poings. Il devait bien rester quelque chose, une trace de son passé.

Tout à coup, elle se souvint. Il ne s'agissait pas d'une berceuse de sa babouchka. Pas d'une romance de Varvara, roucoulée pendant les spectacles de marionnettes. Ce qui surgit, d'un abîme mystérieux et complètement inattendu, ce fut l'un des airs tsiganes que le pick-up de Natacha Philipovna crachait en boucle, toute la journée, à l'orphelinat. Du fin fond de son bureau se répercutait l'air de la *Pomme rouge* traversant les couloirs, les chambres, les grillages. Gladys l'avait enfoui au fond de sa mémoire. Et voilà qu'il réapparaissait ! Ce n'était même pas une chanson chantable, avec ses trilles et ses trémolos. Pourtant, le front en sueur, Gladys se précipita, sans réfléchir, comme on se lance d'une falaise.

Qu'on imagine le choc dans l'assemblée. Une jeune fille dodue en costume de marquise, en plein dîner mondain, monte sur la table du banquet pour laisser s'échapper la mélodie la plus balancée, la plus suave, la plus volutée, la plus jazzée, la plus… Les Bulgares parurent interloqués.

Gladys elle-même ne comprit pas très bien. D'habitude, sa voix était empêtrée, mal posée… *Tchort de tchort*, si Vova avait pu la voir ! Le début fut plutôt hésitant. La voix se tint sur un fil, dansa avec la grâce fébrile d'un papillon, puis enfla, s'ancra dans la gorge, puisant de la force des doigts de pieds à la racine des cheveux.

Iebachmaté Iebachmati hopa hopa hop !

Malgré le manque d'assurance de la chanteuse, les convives, dès les premières notes, cessèrent net leur activité, pour tendre l'oreille. La voix les avait capturés. Quand les grelots du refrain arrivèrent, tous demeurèrent hypnotisés.

Otchi tchornia, krasivi strashni[8] !

8. Yeux noirs, beaux, effrayés !

Gladys n'en revenait pas elle-même. C'était elle qui chantait comme cela ?

Après que la dernière note se fut éteinte, on hésita à rompre le silence. Seule Renata pestait dans son coin. Elle fixait la jeune fille qui haletait, heureuse et rayonnante, pour la première fois depuis si longtemps.

Bientôt l'agitation reprit son cours, et la petite resta sur la table, les bras ballants, gagnée à nouveau par la gêne. Au fond d'elle une joie secrète scintillait, mais elle la sentait déjà s'obscurcir. Renata s'approcha d'elle et la fit descendre rudement. Plus personne ne leur prêtait attention. L'instant de grâce s'était envolé.

— Qui t'a demandé de faire ce cinéma ? Qu'est-ce que c'est que cet air de catin ? murmura hargneusement la mère Baldoche au creux de l'oreille de Gladys.

Elle lui pinçait le bras à le tordre. Son visage de sorcière était creusé. Ses yeux brillaient de haine.

— File dans ta chambre !

Gladys baissa les yeux. Un air de profond repentir s'imprima sur son front. Elle ne voulait pas capituler avant d'avoir tenté quelque chose. La panique et l'urgence venaient de lui souffler un plan.

— Mère, je n'ai pas voulu vous déplaire! s'exclama-t-elle, au comble du désespoir. Je suis si malheureuse quand vous êtes fâchée contre moi. Je ne souhaite qu'une chose avant de partir me coucher…

— Quoi donc? répliqua la marâtre, un peu radoucie.

— Que vous me pardonniez. Je ne chanterai plus comme je l'ai fait, plus jamais. Je vous le promets, articula-t-elle en assortissant sa promesse d'une œillade contrite.

Renata regarda sa créature. Elle crut y voir la soumission la plus charmante.

Agri passait dans les rangs des invités. Elle le héla pour qu'il lui servît du vin. Au bout d'un long moment, Renata lança:

— Tu ne dois pas grandir. Tu ne dois pas! Tu comprends? Je ne veux pas te perdre. Tu ne dois jamais me quitter.

— Oui, mère!

— Je te pardonne.

— Vous me rendez si heureuse! Embrassez-moi…

Renata fendit sa bouche d'un sourire sinistre et se pencha vers sa poupée. Gladys serra les épaules étroites et maigres de sa marâtre. Au fond d'elle, son cœur crevait. Les invités, eux, continuaient à discuter sans leur prêter la moindre attention. La conversation roulait sur les armes à feu. Serge Baldessari, un peu éméché et soucieux de plaire à ses clients, prônait le droit à l'autodéfense. Un véritable art de vivre, selon lui.

— J'ai deux fusils dans la maison ! Un dans mon bureau et un autre sous mon oreiller : on n'est jamais trop prudent, croyez-moi ! Si jamais quelqu'un venait pour me voler…

Sa harangue se perdit dans les murmures approbateurs. Gladys, toujours lovée contre Renata, sentait le pendentif battre contre sa poitrine. Il suffirait de presque rien… Une légère pression, et la clé se décrocherait. La jeune fille en était sûre. L'embrassade s'éternisait. Tempe contre tempe, les deux femmes s'appuyaient l'une contre l'autre. Gladys entendait le souffle rauque de Renata, tout près de son oreille. Se pourrait-il que ? Gladys osa jeter un coup d'œil sur le visage de sa marâtre. Les yeux fermés, Renata dodelinait tristement, en proie à ses démons. Elle s'était assoupie. Gladys crut pouvoir en profiter. D'un geste fiévreux, elle détacha la clé du pendentif. Elle eut juste le temps de l'enfouir dans la poche de son tablier.

— Que fais-tu ? grogna Renata, réveillée en sursaut.

— Rien, mère. Je… je vous embrassais… balbutia la pauvre jeune fille, au comble de la terreur, serrant à s'en faire saigner la petite clé d'or.

— Ah oui ! sembla se souvenir la marâtre. Eh bien, va te coucher à présent. Dis au revoir à nos invités.

Renata se rendormit. Gladys quitta la table dans l'indifférence générale. À l'autre bout de la pièce, on lançait de nouveaux toasts. Gladys se faufila. En sortant, elle jeta un coup d'œil à la grande horloge. Minuit moins deux. *Tchort !* Le rendez-vous. Il était temps. Gladys souleva ses froufrous et courut vers la cuisine.

CHAPITRE 11
La clé d'or

Les jumeaux s'enlaçaient, dans la lumière du néon, tremblant de peur et de joie mêlées. Gladys avait glissé jusqu'à la cuisine, comme sur un tapis volant. Elle avait tout de suite aperçu son frère en entrant dans la pièce. Ils étaient restés quelques instants à se contempler, les larmes coulant sur leurs joues enflammées. Puis ils s'étaient jetés dans les bras l'un de l'autre, brisés, anéantis de bonheur.

Frère et sœur palpitaient douloureusement, respiraient à l'unisson de sanglots lourds, blottis, aussi vulnérables que des colombes dans la paume d'un prestidigitateur.

Ce fut Gladys qui parla la première.

— Agrippa ne t'a pas enfermé, cette nuit? Est-ce qu'il est de notre côté à présent?

– C'est lui qui m'a révélé l'existence des lettres. Ce matin. Depuis, je ne fais qu'y penser. Tu as la clé ?

Gladys ouvrit le creux de sa menotte et découvrit le petit bijou. Ils le contemplèrent comme un trésor de conte de fées.

– Quand elle s'en apercevra, Renata sera furieuse…

– N'y pense pas. Nous avons enfin la nuit pour nous ! N'es-tu pas heureuse, petite sœur ?

– J'ai peur. Les invités sont encore dans la maison. On peut nous trouver, nous punir, nous battre.

– Rien de tout cela n'arrivera. Nous allons nous cacher dans les marmites. Dans trois heures, quand tous dormiront, nous sortirons de notre cachette. Alors nous trouverons les lettres.

Gladys blêmit de terreur. Vova lui caressa le front.

– Viens, dit-il simplement.

Gladys émit un faible son, qui signifiait qu'elle était d'accord. Sa voix étranglée refusait d'articuler. Main dans la main, les jumeaux se glissèrent dans les tréfonds de la cuisine, pour y attendre l'heure propice. Vova s'insinua entre la réserve et les paniers à pommes. Il guida sa sœur vers un recoin. Tous deux, la nuque pliée et les genoux sur la gorge, y firent leur nid.

— Tu te souviens, dit-il, l'orphelinat ? Comment, chaque nuit, tu me racontais des histoires ?

— Je n'en connais plus, chuchota-t-elle tristement.

— Ça te reviendra. Ivan, Nastassia...

— Oh, oui, Nastassia ! s'illumina Gladys.

Et dans la pénombre, en plein cœur de la nuit, Gladys et Vova se remémorèrent un à un les contes de leur enfance. C'était leur manière de fêter leurs retrouvailles. Après tout, leur vie n'avait été qu'une longue attente de ces instants. Gladys retrouvait le sourire à entendre son frère évoquer les prouesses de ses héros. Il avait renoué avec sa flamme perdue. À le voir ainsi, on pouvait croire que plus rien ne les séparerait jamais.

— Raconte-moi l'hippocampe, demanda-t-elle.

— Attends, Gladys. Il est temps de sortir de notre trou. Trois heures ont sonné.

La jeune fille frémit. Elle avait oublié ce qui les avait menés dans cette cuisine. Son cœur se serrait horriblement.

— Vova... J'ai un mauvais pressentiment. Je t'en conjure...

Le garçon l'interrompit en posant son doigt sur sa bouche. Il prit sa main et l'aida à sortir de leur cachette. Gladys, pâle comme une morte, se laissa faire. Aucun bruit ne leur parvenait. Les invités avaient dû quitter les lieux, à l'heure qu'il était. Sur la pointe des pieds, les sens aux aguets, les jumeaux se glissèrent dans le manteau de l'obscurité.

Ils débouchèrent dans le grand couloir, à quelques mètres à peine du bureau où se trouvait le secrétaire. Vova marchait devant. Gladys le suivait, effrayée par les ombres. Cette expédition la remplissait de terreur. Son souffle court, engoncé dans sa robe, ressemblait au battement d'ailes d'un oiseau pris au piège.

Soudain, alors que les jumeaux s'avançaient sur le seuil, ils eurent la surprise atroce de voir Serge Baldessari surgir de la pénombre. Il portait un peignoir à moitié ouvert sur un pyjama à carreaux. Il avait les cheveux défaits, les traits gonflés d'un sommeil interrompu.

De toute évidence, le vieux s'était réveillé au beau milieu de la nuit ; un souci l'avait ramené dans le bureau.

Vova et Gladys se plaquèrent au sol. Fort heureusement, la terreur fut telle qu'aucun des deux n'eut la force de crier.

Il s'agissait de ne pas faire de bruit. Pas un seul chuchotement !

Serge Baldessari marchait mollement de sa démarche de plantigrade, tout en bâillant. Ses pantoufles lourdes raclaient le sol. Les jumeaux le sentirent qui passait près d'eux et les frôlait dans le silence. Il était trop ensommeillé pour les distinguer.

Il s'arrêta à quelques centimètres du pied de Vova. Surtout ne pas bouger, ne pas se faire repérer ! Gladys, à terre, luttait contre l'envie de gémir et de s'enfuir.

Au bout d'une éternité, Serge Baldessari reprit son chemin, en se grattant le gras du ventre à travers l'étoffe de son pyjama. Les jumeaux entendirent le bruit de la porte de la chambre des époux s'ouvrir, puis se fermer. Ils restèrent longtemps prostrés, immobiles sur le sol carrelé. Vova saisit le bras de sa sœur.

— Ne traînons pas, il pourrait revenir.

Gladys était incapable de parler. Elle suivit Vova, dans un état second.

— Donne la clé, ordonna-t-il.

Ils étaient parvenus devant le grand meuble chargé de dorures, qui renfermait tant de promesses. La jeune fille lui tendit la clé. Elle l'avait tellement pressée au creux de sa main qu'un peu de sang se mêlait au jaune brillant.

Vova l'introduisit dans la serrure. Le ressort joua avec aisance. L'abattant fut aussitôt ouvert.

Sous les yeux des jumeaux se déployèrent une dizaine de petits tiroirs.

— Fouille de ton côté, et moi du mien, commanda le garçon.

Il se lança dans ses recherches, le front fiévreux. Gladys avait du mal à bouger. Elle avait trop peur. Mais après quelques minutes, elle s'attela à la tâche, elle aussi.

— Regarde ! Le journal de la Baldoche ! s'exclama Vova.

— Tu crois que je peux… ? demanda Gladys, une boule dans la gorge.

Pendant que Vova continuait ses investigations, Gladys parcourut les grandes lignes du carnet jauni, intime témoin des souffrances de sa marâtre, et de sa folie grandissante. Renata y parlait de «l'Autre», à longueur de pages. La petite s'appelait Edwige ; elle avait cinq ans. Un accident de la circulation lui avait arraché la vie… Depuis, Renata, brisée, luttait contre le désespoir. À mesure que le temps passait, que les dates se succédaient, la lecture devenait impossible.

Gladys avala sa salive. Elle comprenait à quel point Renata avait sombré. Mais comment la réparer ? Gladys n'y parviendrait jamais ; c'était une épreuve impossible. Aucun déguisement, aucune comptine rabâchée encore et encore ne ramènerait l'Autre. Jamais. Gladys se sentit triste, mais aussi un peu soulagée. Ce n'était pas sa faute à elle si...

– Regarde ! J'ai les papiers d'identité d'Agri ! Vise sa tête de pioche !

Les jumeaux, malgré le caractère hautement dramatique de leur situation, ne purent s'empêcher de sourire en regardant la trombine du Pingouin. Jeune, souriant, positivement niais.

– Attends, voici les lettres ! déclara enfin Vova, en arrachant d'un tiroir des enveloppes recouvertes d'inscriptions cyrilliques, sur lesquelles un avion était dessiné.

Les jumeaux prirent leur respiration. C'était bien Varvara qui leur écrivait.

– Lis, Gladys, tu lis mieux que moi... murmura le garçon, très ému.

La jeune fille décacheta la première missive. Quelle joie de retrouver cette si chère amie ! Varvara leur racontait comment elle avait réussi à trouver leur adresse, puis elle enchaînait en leur racontant comment se portaient leurs marionnettes. Elle égrenait les anecdotes de son écriture ronde et souple : Dima était parti à l'armée ; la petite Nina était entrée comme apprentie chez un pâtissier (et elle se débrouillait très bien) ; Augusta avait toujours des grands pieds, mais elle avait appris à nager... Toutes ces histoires réjouissaient les jumeaux. Varvara concluait avec des nouvelles des spectacles (la saison s'était terminée en beauté sur la grand-place du village). Puis Varvara leur demandait de serrer fort leur hippocampe en pensant à elle.

— Notre hippocampe ? Comment est-elle au courant ?

— Idiot ! Elle parle du pendentif qu'elle nous a offert quand nous nous sommes quittés... Renata me l'a pris dès mon arrivée ici. Oh ! mais le voici justement, s'exclama Gladys en soulevant la précieuse chaîne.

Vova attendit que sa sœur eût palpé le bijou et enchaîna :

— Ouvre la suivante ! exigea-t-il, ivre de joie.

Gladys, qui avait enfilé le collier à l'hippocampe, lut trois autres lettres. Chaque fois, Varvara leur donnait les dernières nouvelles des marionnettes et des enfants. Elle s'inquiétait de ne pas recevoir de réponse. Espérait que les jumeaux allaient bien. Elle mentionnait aussi le nom d'une femme, la recommandant à leur amitié.

Si vous avez l'occasion, allez voir pour moi Bao Van Bui, au Theatrum mundi. Cette femme est mon amie. Elle vous aimera comme je vous aime...

Les petits dévoraient, dégustaient ces paroles avidement.

— Il en reste une ! Vite !

Gladys déchiffra l'écriture nerveuse de leur amie. Au milieu de sa lecture, elle pâlit brutalement.

— Quoi donc, Gladys ! Tu me mets à la torture ! Que dit-elle ?

Gladys sentit ses larmes couler.

Il faut que je vous apprenne une nouvelle très importante : votre mère est encore vivante. J'ai surpris cette information confidentielle par hasard dans les papiers de Natacha Philipovna. Votre mère ! Elle vit près de chez vous, en banlieue parisienne : 17, rue des Orcus. Savigny, je crois. Ou un nom comme cela. Cesson ? Champigny ? À vous de la trouver. Prenez soin de vous, mes petits. Je pense à vous. Serrez fort votre hippocampe !

– Notre mère ? Mais…

Gladys n'eut pas le temps d'achever.

Un bruit de pas venait de troubler la paix de la nuit. Les jumeaux, éperdus, se glissèrent sur le sol. Un rai de lumière venait de s'allumer à dix mètres d'eux. La bête rôdait.

– Il faut retourner à la cachette de la cuisine, ordonna Vova.

Comment arrivait-il à garder son calme dans une telle situation ? se demanda Gladys, dont le pauvre cœur tressautait d'angoisse. Serge Baldessari, ce ne pouvait être que lui ! Le crapaud ranci allait leur tomber dessus, les écharper, les punir, les…

– Gladys ! Il faut y aller maintenant ! chuchota furieusement le garçon, excédé par la couardise de sa sœur. Tu m'entends ? Vite, dans la cachette aux casseroles avant qu'il ne soit trop tard !

Et sans attendre de réponse, il saisit Gladys par la manche, direction les cuisines. Hors d'haleine, ils parvinrent aux pieds de la montagne de marmites. Leur front était couvert de sueur. Dans l'obscurité profonde, ils se cognaient, se griffaient involontairement, en proie à la plus pure des paniques.

– On n'entend plus rien… souffla Vova. Est-ce que tu crois qu'il est parti ?

La nuit était silencieuse, épaisse. Les jumeaux enlacés, à genoux sur le carrelage, respiraient à l'unisson, l'oreille tendue. Ils guettaient un autre signe de la présence du crapaud.

— Nous aurons eu peur pour rien, si tu veux mon avis, se détendit Vova, serrant toujours sa sœur.

— Attends, un pressentiment m'avertit… Il est là, quelque part ! chuchota Gladys, au comble de la terreur.

À peine avait-elle fini sa phrase que la lumière s'alluma violemment dans la cuisine, aveuglant Gladys et Vova, qui eurent le réflexe de se cacher les yeux et de se recroqueviller encore un peu plus l'un contre l'autre. Devant eux, dans l'encadrement de la porte, se tenait la silhouette noire de Serge Baldessari. Il pointait sur eux un fusil à canon scié.

— Qui êtes-vous ? hurla-t-il. Agrippa ! Des voleurs ! À ma rescousse !

Gladys et Vova, pris de panique, s'agrippaient mutuellement. Leurs deux visages collés reflétaient une épouvante indescriptible. Aucun d'eux n'avait le courage ni la présence d'esprit de parler. Ils demeuraient figés comme des statues de sel. Serge Baldessari, mort de trouille pour sa part, les tenait toujours en joue, sans les reconnaître.

— M… montrez-vous ! ânonna le père Baldoche, justicier affolé dans sa propre cuisine.

C'en fut trop pour Gladys. En entendant gronder son père adoptif, elle sentit un craquement dans sa poitrine. Son cœur se déchira subitement comme une feuille de papier. La peur venait de la mettre en charpie. Sous les yeux de son frère, elle s'écroula au ralenti. Elle s'évanouit au milieu des froufrous de sa robe de marquise. Vova, impuissant, ne put s'empêcher de crier.

Alors survint l'irréparable.

Dans sa chute, Gladys accrocha une cocotte en fonte qui s'effondra en même temps qu'elle, provoquant un fracas de tous les diables.

Serge Baldessari, par réflexe, tira deux fois. Deux balles. L'une vint se loger dans un collier d'ail suspendu au plafond.

L'autre balle ripa sur l'Inox des placards. Il y eut un bruit atroce de ballon qui éclate. De chair écartelée qui explose. La balle avait frappé Gladys, inconsciente, qui gisait aux pieds de Vova.

Vova se redressa en titubant. Les yeux vitreux de Gladys le fixèrent sans le voir. Le garçon recula sans comprendre. Il ne voyait plus clair. Sa sœur, en sang… sur le carrelage ? Vova contemplait la catastrophe en silence. Son cerveau venait d'être frappé par la foudre.

Agrippa débarqua peu après, essoufflé, hagard. Il poussa un cri en les voyant. Le petit – son petit ! –, couvert de sang, serrait le corps inanimé de Gladys.

– J'appelle le Samu, Gringale. Ils vont être là d'une minute à l'autre, murmura le Pingouin, longue silhouette dérisoire dans l'encadrement de la porte.

Serge Baldessari s'arrachait les cheveux des tempes, les yeux écarquillés. Il contemplait l'étendue de sa faute, pauvre pantin tragique en pyjama taché de sang.

Le tableau demeura tel pendant quelques instants suspendus.

Puis les cris de Vova s'élevèrent, déchirant la nuit d'un chagrin qui n'avait pas de nom.

Cours, cours, Vova ! Fuis ! Ne reviens plus sur les traces de ton malheur ! Abandonne ta vie d'esclave, raye ton ancienne existence. Morte, Gladys. Tu es seul au monde pour jamais ! Il n'y a plus rien ! Pas même cette mère qui n'est rien pour toi ! Ne laisse plus jamais le malheur entrer par les portes battantes de ton cœur. Défends-toi ! Bats-toi jusqu'au sang, plonge jusqu'à la garde et arrache le cœur de cette vie.

L'adolescent dévala les escaliers des Buttes-Chaumont. Il traversa la moitié de Paris en courant, sans s'arrêter pour reprendre son souffle. Il suait à grosses gouttes et délirait. Il jetait à voix haute des fragments décousus, en russe. Des mots qui ne voulaient rien dire, des mots de haine qui explosaient au rythme de ses pas. Les Parisiens s'écartaient en le croisant. Son corps tordu de douleur, suant et fiévreux, fonçait dans les poubelles, taclait les épaules, se heurtait aux murs.

Il s'était enfui au beau milieu de la scène de crime. Gladys... sa Gladys... sa princesse ! Il l'avait enlacée une dernière fois avant que... la balle de ce... Vova se remit à hurler. Les mots ne venaient plus. Quelques images se dessinaient encore, voilaient ses regards. Des images atroces où se mêlaient le rouge du sang et la noirceur de la poudre sur les plaies. Des images insupportables ! Vova aurait voulu s'arracher les yeux, se déchirer la peau. Pour ne plus voir, ne plus sentir. Il cherchait à s'anesthésier. Ses jambes devaient accélérer encore, pomper plus fort ses organes, le faire exploser en plein vol, en pleine course. Semer la douleur. Semer la mort !

Il erra toute la nuit dans le quartier des Halles, puis vers le Louvre et les quais de la Seine. Sa pâleur extrême effrayait les passants. Un policier essaya de l'arrêter, sans doute intrigué par son âge. Vova s'était écroulé près d'une fontaine, cherchant la fraîcheur de l'eau pour soulager son front brûlant. Avant même que le brigadier ne pût esquisser un geste, Vova l'assomma d'un coup de poing magistral. Vova, à bout de souffle, détala dans la nuit et rejoignit les ombres. Il ne reviendrait jamais. Il se le jurait. Il se battrait jusqu'à la mort pour venger sa sœur. Pour distancer la douleur sur son cheval magique.

Quand le matin se leva, il n'était plus à Paris. Il avait marché jusqu'en banlieue. Personne, jamais, ne retrouverait sa trace.

III
LE THÉÂTRE DU MONDE

CHAPITRE 12

Nous avons des nuits
plus belles que vos jours

Sur son lit tendu de soie grise, la jeune fille gisait, la main au creux du ventre. Elle respirait, une houle tranquille soulevait doucement sa poitrine. Les yeux fixés sur le plafond de sa chambre, elle contemplait les reflets de la lune qui miroitaient à la manière d'un feuillage. La nuit était profonde, mais elle ne dormait pas. Elle goûtait le soir, la fraîcheur, la plénitude d'être enfin seule. Une étincelle, telle la flamme fuyante d'une bougie, dansait au fond de son cœur et la réchauffait.

Elle prit une grande inspiration et se leva de sa couche. Silhouette gracile, hanches étroites. Ses longs cheveux blonds la nimbaient d'un halo de clarté.

Elle se plaça au bord de la fenêtre. La splendeur

calme du parc qui se déroulait sous ses yeux en ombres chinoises, bruissant et tintant sous le souffle du vent, la surprit agréablement. Elle s'assit sur le linteau. Comme elle aimait ces instants volés de pure beauté ! Ses journées n'avaient pas cette saveur, elles étaient grises et contraintes. La nuit était à elle. À elle seule !

Peut-être qu'une fois encore la voix de l'ombre viendrait lui parler ? Peut-être qu'une fois encore son cœur battrait en l'entendant ?

Elle se mit à fredonner, presque un murmure. Un petit chant doux comme un châle, ténu comme le bruissement d'une goutte de rosée qui se dépose au fond d'une corolle.

Chanter, c'était sa manière d'appeler la voix. De la susciter dans sa cachette d'ombre. De lui signifier qu'elle était prête et qu'elle l'attendait.

Sans cesser de chanter, elle eut une pensée pour sa mère. Elle l'avait si peu connue. Une image d'elle était encadrée sur le grand rebord de la cheminée blanche, dans le salon de son père. Papa disait toujours qu'Aurélia lui ressemblait. Papa, si dur parfois, mais si doux dès qu'il parlait d'elle…

Tout à coup, il y eut le frémissement d'une forme au milieu des arbres. Son chant s'interrompit. Elle sut immédiatement que c'était lui. La voix. Depuis quelques jours, peut-être même plus longtemps, elle sentait sa présence. Les premiers temps, elle avait cru à une illusion d'optique, puis à un animal. Puis à un fantôme. À présent, elle inspectait les ténèbres, le cou tendu vers la nuit. Elle espérait l'entendre s'élever, s'enrouler dans les trilles du vent. Une bourrasque souleva ses cheveux, gifla ses joues roses, comme un signe avant-coureur, comme une promesse.

Aurélia tortilla nerveusement ses mèches dorées. L'ombre était-elle repartie ? Avait-elle fui pour ne jamais plus reparaître ?

Elle se pencha, fronçant le nez, les yeux mi-clos. Elle huma l'air. Plus rien. Ça avait disparu ? Déjà ?

Aurélia se surprit à prier : qu'avait-elle d'autre dans sa vie ? Pitié, que cette voix résonne encore à ses oreilles ! Qu'encore une fois sa douceur la réchauffe !

Soudain son cœur battit. L'ombre avait parlé :
— Aurélia !

La jeune fille frissonna. La voix était mâle, jeune et fraîche. Visiblement émue, presque essoufflée. On connaissait son nom, on l'appelait Aurélia, comme sa nourrice le faisait ! Elle se surprit à pâlir, le sang vidé de ses membres sous le coup de l'émotion. Chaque fois, le choc était le même. Un mélange de peur et de délice qu'elle ne s'expliquait pas.

— Vous êtes revenu ? Que faites-vous dans le jardin de mon père ? murmura-t-elle.

— Je viens te voir, Aurélia. Ce soir, je veux monter dans ta chambre. Je ne te ferai pas de mal. Je veux simplement te voir.

Un long silence s'ensuivit. La jeune fille était tétanisée. Son corps était rempli d'effroi. Sa langue était muette. Ce que lui demandait la voix était si dangereux, si tentant à la fois.

— Aurélia ? Tu es là ?

La jeune fille tâcha d'être forte.

— Savez-vous qui est mon père, et ce qu'il vous fera s'il vous trouve dans ce parc ? Pourquoi prenez-vous de tels risques ?

— Aurélia… gémit la voix.

À nouveau, le silence les saisit dans ses glaces. Ils ne trouvaient rien à se dire. Il n'y avait pas d'explication.

— Qui êtes-vous ? finit-elle par demander.

— Je ne suis personne.

Aurélia leva les sourcils. « Personne ? » Quelle étrange réponse ! Mais la glace était brisée. L'ombre continua :

— Je te regarde en silence, de loin, depuis bien longtemps. Je t'ai parlé quelquefois. Maintenant, ce que je veux, c'est me tenir en face de toi. Sans te toucher. Juste me tenir en face de toi. Ce que ton père peut faire pour m'en empêcher, je m'en moque. Tu m'entends, je m'en moque. Il faut me croire : il ne peut rien contre moi. Il ne peut rien, car je suis déjà mort.

Aurélia écoutait la voix, si ferme, si assurée à présent. Son cœur palpitant la faisait presque souffrir.

— Déjà mort ? Qu'est-ce que tu veux dire ?

Aurélia venait de le tutoyer. Elle s'en aperçut trop tard. Les dernières digues avaient sauté. Elle enchaîna, fiévreuse :

— Monte, dit-elle. Si tu en es capable.

Un coup de vent zébra la nuit. Le coassement d'une corneille s'éleva au loin.

Une corde, lancée depuis l'obscurité, arriva dans les mains de la jeune fille. Elle sursauta et faillit pousser un cri.

— Noue-la à ton balcon.

Aurélia s'exécuta du mieux qu'elle put.

Son front se perlait de sueur, mais elle demeurait silencieuse.

— Voilà ! susurra-t-elle, plus morte que vive. Promets-moi que tu ne me feras pas de mal, ajouta-t-elle d'une voix altérée.

— Jamais je ne te ferai de mal, répliqua la voix.

Le garçon monta, escaladant les parois de brique du grand manoir. Aurélia l'entendit se hisser lentement, chaque battement de son cœur devenait plus lourd et plus puissant. Durant cet instant, elle songea à son père. Elle redoutait plus que tout qu'il découvrît ce qui se tramait. Elle était son bijou, son trésor ! Et voilà que, malgré ses efforts pour la cloîtrer, la force vive s'insinuait chez eux !

Aurélia tâcha sans succès de se calmer.

— Vite ! Mon père va te voir !

Scindant l'obscurité, le flash doré d'une chevelure de lumière lui apparut en premier. Puis le visage moiré de sueur, sculpté dans le marbre et pourtant si vivant. Des yeux immenses, éperdus.

Aurélia sentit sa poitrine se gonfler. Sa gorge nouée ne parvint pas à articuler un mot. Sa chemise de nuit flottait doucement dans la brise du soir. Et son cœur, son cœur criait de bonheur.

Il était là. La voix avait un corps.

— Tu es Zolotoï. On m'a parlé de toi, murmura-t-elle.

– Je ne veux pas savoir ce qu'on t'a dit…

Elle fut saisie d'une pudeur immense. Qu'un homme fût dans sa chambre, et qu'elle l'eût accepté de toute son âme, elle en rougissait de honte.

Vova et Aurélia demeurèrent face à face. Le colosse blond et la frêle princesse. Lui qui la buvait des yeux, elle qui détournait la tête.

– Je vais dormir près de toi…

Aurélia frémit de nouveau, comme une biche affolée.

– N'aie pas peur…

La jeune fille n'osait plus relever la tête.

– Je dormirai près de toi et je partirai avant l'aube.

– Veux-tu… veux-tu me raconter ton histoire ?

Vova plongea ses yeux dans ceux d'Aurélia. Elle y lut une détresse infinie.

– Ne dis rien si tu ne veux pas, s'empressa-t-elle d'ajouter.

– J'ai… j'ai besoin de me reposer. J'ai besoin de me reposer auprès de toi. Il y a si longtemps que je n'ai pas… que je n'ai pas dormi.

Aurélia le contempla. À présent, c'était lui qui détournait les yeux. Sa silhouette, dans l'ombre, était celle d'un homme. Son visage était celui d'un enfant.

Elle fut envahie d'une sorte de tendresse. Elle eut un mouvement pour lui prendre la main, la saisit et fut frappée par la chaleur qui en émanait.

— Tu as de la fièvre, s'étonna-t-elle.

Vova, vaincu par une force inconnue, posa un genou à terre.

— Je…

Il ne put achever. Il s'était évanoui.

Aurélia, stupéfaite, considéra la masse de ce corps étendu sur le sol de sa chambre. Elle eut un instant de panique, puis, considérant avec sagesse que le mieux était de laisser le garçon où il était, au pied de son lit, elle s'empressa de lui apporter une couverture. Une fois qu'elle l'eut bordé, elle remonta sur sa couche. Elle le contempla alors qu'il respirait calmement de son souffle d'enfant.

Cette nuit-là, elle ne dormit pas. Elle veilla son amant.

*
* *

Vova s'éveilla au son de l'alouette. La fenêtre était restée ouverte, et une brise fraîche, chargée d'humidité, avait déposé une fine rosée sur sa couverture. Combien de temps avait-il dormi ? Un coup d'œil circulaire lui permit de reprendre ses esprits. Il était encore un peu groggy, mais il parvenait à mesurer ce qui s'était passé. Il avait dû perdre connaissance. Il avait connu tant de nuits sans sommeil, tant d'heures d'angoisse que la tension s'était relâchée brutalement.

Devant lui, la jeune Aurélia s'était assoupie et reposait sur ses draps de soie gris. Ses cheveux blonds étaient répandus autour de son adorable visage. Il fit un pas pour la rejoindre, mais se ravisa. Il la contempla encore quelques instants. Elle était plus belle encore que dans son souvenir. Aussi belle que…

La colère lui revenait. Il crispa ses poings. Il devait partir avant le lever du soleil.

Aurélia, qui somnolait légèrement, se réveilla dans un sursaut. Aussitôt, elle fixa ses regards sur Vova, qu'éclairait un rayon timide du soleil naissant. Son front était noirci de traces de sueur ; ses habits semblaient ceux d'un vagabond. Mais il était beau, à fendre le cœur, avec ses yeux luisants et ses longs cils. Avec ce mélange bouleversant de force et de faiblesse.

Vova, pris de court, fit un geste pour fuir, passant déjà la jambe par-dessus la rambarde. Aurélia l'arrêta d'un cri étouffé :

— Viendras-tu ce soir ?

— Ce soir ? répéta Vova en proie à une fièvre qu'il ne contrôlait plus.

— Dis-moi ! insista-t-elle.

Vova, les larmes aux yeux, sauta de la fenêtre dans l'herbe du jardin. Aurélia se précipita pour le voir, mais il avait déjà disparu. Au même instant entrait la gouvernante d'Aurélia. C'était une femme sèche, très grande, au front plat, que les malheurs avaient ridé prématurément. Dès qu'elle vit Aurélia, elle poussa les hauts cris :

— Que faites-vous devant une fenêtre ouverte ? Le froid va vous rendre malade, et votre père va s'en prendre à moi, comme d'habitude !

Aurélia se retourna et se composa un visage à la va-vite. Sa belle nuit venait de s'achever, et une journée douloureuse l'attendait.

CHAPITRE 13
La vie est un songe

L'infirmière, tout de blanc vêtue, entra dans la chambre encore enténébrée. Elle fit claquer les talons de ses sandales vers la fenêtre, releva vivement le store opaque et laissa s'éparpiller la lumière aux quatre coins de la pièce. Elle ouvrit la cloison, libérant un vent frais. Le bouquet de lavande placé dans un vase sur le côté du lit en frissonna imperceptiblement. Le bocal, dans lequel flottait un petit hippocampe parcouru d'un rayon irisé, scintillait.

— Bonjour, princesse ! lança-t-elle.

Sur un badge plastifié s'inscrivait son prénom : ALMA.

— Il est l'heure de ta toilette. Et après, Veronica t'attend pour ta rééducation. Il fait très beau aujourd'hui. J'espère que tu es de bonne humeur !

La forme allongée se retourna rageusement sur le lit et, repoussant les draps d'un geste excédé, fit apparaître un visage d'albâtre aux traits tirés. Les yeux, bleu outremer, étaient cernés. Aussitôt, la jeune malade se recroquevilla dans le fond, contre la tête de lit en fer.

— Je vais prendre ta tension, chérie. Tends-moi le bras, veux-tu ?

La jeune fille se terra encore davantage, cherchant à esquiver la manœuvre de l'infirmière.

— Voyons… Tu ne vas pas recommencer…

— Où est mon frère ? demanda la malade, enfiévrée, le visage pâle et défait.

L'infirmière cherchait ses mots. Elle hésitait. Elle savait que certaines paroles pouvaient déclencher une crise.

— Tu ne dois pas t'énerver. La balle près de ton cœur risque de se déplacer. Tu…

— Où est mon frère ? répéta l'adolescente.

Alma tenta de s'approcher :

— Mon chou, tu sais bien que…

Elle ne parvint pas à finir sa phrase.

Gladys contemplait ses poignets, comme obsédée par une idée fixe. Un souvenir de la dernière poussée de désespoir. C'était Alma qui l'avait trouvée, baignant dans son sang. La petite avait brisé le bocal de l'hippocampe, et avec le tranchant… On avait pu les sauver, on avait recousu les plaies et on avait remplacé le bocal. Mais combien de temps cela allait-il durer ?

— Gladys, calme-toi, voyons.

La fille se redressa, cheveux épars, le corps raidi.

— Ne m'approche pas ! lui cria Gladys. Appelez Bao Van Bui ! Dites-lui de me sauver ! Ma mère ! Ma mère !

Le délire venait de reprendre la jeune fille. Toujours le même. L'infirmière était désespérée. Comment faire pour aider cette patiente dont le cœur et l'esprit portaient de si larges cicatrices ?

Alma, résignée, appuya sur le bip placé sous la tablette où reposait le vase de lavande. Durant les quelques secondes qui s'écoulèrent avant l'arrivée des infirmiers, Alma observa tristement le bocal de l'hippocampe. Les renforts arrivèrent. De gros bras empoignèrent Gladys, qui se débattit en poussant des cris affreux. Une dose. Ce fut tout. On reposa la jeune fille inconsciente sur son lit, on l'attacha un peu serré. Puis tout le monde sortit, la laissant à ses cauchemars. Gladys plongea dans des rêves sans fond.

*
* *

Gladys laissa tomber sa cuillère dans la soupe, éclaboussant de grumeaux verdâtres les draps immaculés. Son pilulier en plastique se renversa, les capsules gélatineuses et colorées se mêlant aux reliquats de nourriture. Gladys serra les poings et se mordit l'intérieur de la joue. Elle réprimait un cri de rage. Encore cette pâtée immangeable, ces murs peints couleur mouroir ! Encore ce rituel insupportable des médicaments ! Gladys avait envie de tout balancer, de fuir une bonne fois pour toutes. Mais comment le pourrait-elle ? Son cœur était si fragile. La balle qui l'avait déchirée était toujours en place, trop dangereuse à extirper. Placée entre deux ventricules, la balle faisait planer sa menace en permanence. Qui savait quand le morceau de plomb se déciderait à opérer son destin : la tuer tout à fait, ou disparaître enfin ?

Des mois s'étaient écoulés, et personne, jamais, ne lui avait apporté la moindre nouvelle de son frère. Personne n'avait prêté attention à ses cris. Gladys se sentait remplie de colère. Est-ce qu'on allait continuer longtemps à la traiter comme une enfant, pire, comme une marionnette manipulable à souhait ?

Quelqu'un pourrait-il enfin l'aider à devenir, elle aussi, une personne à part entière ?

Elle avait appris que son « père » était sorti de prison, blanchi des accusations de tentative de meurtre. Renata, incapable de suivre le procès, déclarée irresponsable, avait depuis longtemps été admise dans une institution, quelque part en Suisse. Que devenaient-ils ? Gladys l'ignorait. Les journalistes, qui avaient tenté de l'interviewer opiniâtrement durant les premières semaines de son hospitalisation et qui auraient pu lui donner des réponses, avaient déserté les couloirs de l'hôpital. Gladys, coupée du monde, ne recevait du dehors que les nouvelles qu'on voulait bien lui transmettre.

Au-delà du sort des Baldessari, c'était, à nouveau, la séparation avec son frère qui la faisait enrager, ravivait ses plaies. Elle l'imaginait, clochard, mourant de faim, battu, vendu peut-être… La méchanceté des hommes envers les êtres vulnérables était sans limite. Gladys sanglotait, voulait mourir. Et la balle se mettait à gonfler dans sa poitrine, comme le globe rougi au feu d'un souffleur de verre. Mais que pouvait-elle, sans cette aide qu'elle appelait de tous ses vœux ?

Gladys se redressa à moitié. Écartant ses longs cheveux de son front pur, elle murmura :

— Bao Van Bui, qui que tu sois, viens me chercher là où je suis…

Quand Gladys releva la tête, l'infirmière du soir la fixait d'un œil sévère en tournant vers elle un visage fâché. Gladys, plaintivement, répéta :

— Bao Van Bui, s'il vous plaît…

*
* *

— Tu dors ?

La voix qui venait de s'exprimer lui était inconnue.

Gladys leva la tête, défroissa les draps blancs de son lit d'hôpital. Qui venait de parler ? Elle sortit une tête dubitative de la corolle des oreillers. D'abord, elle ne vit rien. C'était la nuit. Les ténèbres enveloppaient sa chambre, recouvraient de leur voile les appareils hospitaliers, les objets répandus sur les tablettes, le vase de lavande, le bocal de l'hippocampe. Gladys se redressa complètement. Avait-elle rêvé ? Quelqu'un avait bien parlé ou…

— Tu es réveillée, c'est bien.

Gladys sursauta carrément. Une voix de femme, rauque, mature et chaude venait de la surprendre au beau milieu d'un rêve très profond. Elle se recroquevilla instinctivement et posa sa main sur la poitrine, pour empêcher la balle de son cœur de tressauter trop fort.

— Qui êtes…

— Je suis Bao Van Bui. Une amie de Varvara. Elle m'a parlé de toi, l'interrompit la voix. Notre amie commune aime tellement les marionnettes qu'elle tire même les fils de nos vies, tu vois, dit la femme d'un air mystérieux.

Avant même de pouvoir articuler un semblant de réponse cohérente, Gladys entendit le son improbable d'une allumette craquée, sentit l'odeur soufrée d'une étincelle qui s'approchait du bout d'un cigare. Dans la lueur rougeoyante, Gladys distingua les traits d'une femme aux longues paupières bridées, aux lèvres écarlates. Beaucoup de détails lui échappèrent. Elle ne vit pas, par exemple, à quel point sa visiteuse était belle, malgré son âge ; à quel point elle était élégante dans son immense châle en alpaga noir ; à quel point ses yeux brillaient. Gladys se contenta de s'asseoir, sans dire un mot. Elle se frotta les yeux et attendit sagement que Bao Van prît à nouveau la parole. Entre elles deux, un épais nuage de fumée odorante, parfaitement incongrue dans une chambre d'hôpital, déroula ses volutes.

— Tout est arrangé. Je t'emmène.

Gladys, qui le matin même avait renversé rageusement le contenu de son cathéter sur l'infirmier
de service, qui avait agoni d'ignominies le personnel
et craché dans la gelée de menthe qu'on lui avait
servie (pourtant avec ménagement), se sentit brusquement plus docile qu'un agneau. Elle ne chercha
pas à comprendre. Elle dit simplement :

— Je peux emporter l'hippocampe ?

Bao Van aspira une longue bouffée. Le bout
incandescent crépita dans la pénombre.

— Si tu ne peux pas faire sans, chérie. Mais je
te préviens, ne t'attends pas à ce que je t'encourage
à la mélancolie. Alma peut le garder. À toi de voir.

— Je le garde… Encore un peu.

— Comme tu veux, répliqua Bao Van d'un sourire
entendu.

Gladys, engourdie de sommeil et de stupéfaction,
se leva pour préparer ses affaires. Elle s'aperçut que,
contrairement à ce qu'elle pensait, elle n'avait plus
mal, ni au cœur ni ailleurs dans la poitrine. Tout
fut prêt en moins de quelques minutes. Gladys ne
se demanda pas pourquoi cette Mme Bui venait
la chercher en pleine nuit. Elle se contenta du peu
d'explications fournies. Tout lui paraissait prendre les
contours les plus irréels.

— Tu as l'air d'une bête sauvage, accoutrée comme ça. Prends ce peigne. Et je t'ai apporté des habits.

Gladys, médusée, s'exécuta en silence, tandis que la dame en noir continuait à fumer, une jambe gainée de cuir croisée sur l'autre. La jeune fille lissa ses longs cheveux, les noua en chignon de danseuse au-dessus de la nuque. Elle enfila un pantalon noir et un col roulé gris souris. Des petites ballerines vernies complétèrent sa tenue.

— Très joli, déclara Bao Van. Tiens, ajouta-t-elle en lui tendant un châle russe magnifique, orné de fleurs rouges brodées d'or. Je t'ai apporté cela en guise de manteau.

Gladys s'enveloppa du châle avec un sentiment étrange. Tout cela était-il réel ?

Elles sortirent de la chambre, l'une derrière l'autre. L'hôpital semblait désert. Les perfusions, les fauteuils gisaient çà et là, avalés dans les trous d'ombre.

— Tu ne me demandes pas où nous allons ? dit Bao Van en claquant la portière d'une magnifique Chevrolet d'un vert pâle comme Gladys n'en avait jamais vu.

— Je le sais, au Theatrum… chevrota Gladys, les

bras agrippés à son bocal dans lequel le pauvre petit cheval dansait comme un fétu.

— Oui ! Nous allons dans mon théâtre. Le Theatrum mundi, le Théâtre du monde. C'est là où nous vivons.

Gladys haussa un peu les sourcils. Après tout, cela n'était peut-être qu'un rêve. Le moteur vrombit. Un chien se mit à hurler, dans un coin de la ville. La voiture démarra.

Gladys tomba endormie dès les premières minutes du trajet. Elle ne vit pas la voiture filer dans la nuit, au milieu des buildings, tel un long requin sillonnant calmement les eaux profondes. La banlieue, hérissée de tours, avait perdu son âpreté sous les rayons bleutés de la lune. La Chevrolet était confortable, avec ses sièges en cuir. Elle dégageait une forte odeur de fleur d'oranger. Gladys s'assoupit et replongea dans ses rêves. Sur son visage s'imprimèrent les flashs zébrés des tunnels, les clignotements des feux de signalisation, les néons des aires d'autoroute. À ses côtés, Bao Van conduisait, imperturbable, mais authentiquement attendrie par le visage endormi de sa passagère. Combien de temps le trajet dura-t-il ? Gladys ne le sut jamais.

Elle s'éveilla alors que le soleil était déjà haut, au milieu d'un lit à baldaquin tendu de moire prune. Elle eut l'impression étrange d'être coincée dans la chambre noire d'un appareil photographique. Le petit oiseau voulait sortir. En même temps, elle goûtait cet instant étrange. Cette boîte était à sa dimension, si chaude, si confortable. Elle tira les rideaux en se frottant les yeux.

La femme de son rêve n'avait pas menti. C'était, en dehors des limites du lit, un foutoir extraordinaire d'accessoires de théâtre empilés les uns sur les autres, rangés pêle-mêle sans lien ni ordre : des piliers corinthiens, des armures, des épées, des rangées entières de robes de bal, des monceaux de chapeaux, des kilomètres de rouleaux de dentelle, une pierre tombale, un faux jardin avec une tonnelle… Sur l'un des murs étaient suspendus à des crochets une série de masques. Gladys reconnut de loin ceux qui venaient de Venise. Les longs regards de chat dorés, recouverts de plumes et de paillettes. Elle s'approcha. Ses petits pieds foulèrent timidement l'immense tapis persan qui couvrait la moitié de la pièce. Quelle beauté ! Ces masques étaient superbes. Il y en avait beaucoup : des très simples, tout blancs, les yeux bridés ; des féroces, la bouche tordue et le front bosselé ;

des doux aux pommettes hautes, aux lèvres maquillées... Gladys en prit un sur le mur, un masque parure, très féminin avec sa bouche rouge. En se retournant, elle vit un grand miroir à l'autre extrémité de la chambre. Son reflet s'y imprimait en miniature. Gladys faillit prendre peur en se reconnaissant. Elle s'avança prudemment. Une fois devant, elle se contempla avec un mélange d'horreur et de perplexité. Se pouvait-il qu'elle ait changé à ce point ? Durant des mois, il y avait eu l'hôpital, les piqûres, les sangles, les crises... Des mois où elle était alitée, prostrée. Il lui semblait sortir d'un long sommeil. Elle continua son observation. Dans le cadre de la psyché, il y avait une grande fille aux cheveux longs jusqu'aux cuisses, le visage gris et cerné, les yeux gonflés. De son corps rondouillard, plissé et rebondi, de ses cuisses charnues il ne restait que des membres amaigris, presque efflanqués... Les anglaises ridicules étaient défrisées depuis longtemps. Son visage ressemblait à celui d'un chat famélique. Son beau regard bleu lui parut charbonneux, austère.

D'un geste mécanique, elle posa le masque sur son visage. Une vague d'émotion la submergea brusquement. Sur son corps, une nouvelle tête s'était posée, comme un papillon coloré sur la branche d'un arbre sec. Gladys repoussa le masque, presque effrayée, sans savoir exactement pourquoi.

– C'est un masque de Zerbinette. Il te plaît ?

Gladys se retourna vivement vers la voix féminine qui venait de parler. C'était Bao Van, enveloppée dans un peignoir de soie couleur safran. Pendant une demi-minute, Gladys ne dit rien. Bao Van la rejoignit devant le miroir et se posta à ses côtés. Toutes deux se regardaient dans l'encadrement.

– Ce n'était pas un rêve, alors ? murmura Gladys, très émue.

– Les rêves n'existent pas… Ou alors c'est la vie elle-même qui est un rêve.

Gladys regarda ses pieds. Sa vie à elle ressemblait davantage à un cauchemar. Bao Van dut sentir ce que sa pensionnaire pensait à cet instant, car elle sourit largement, comme pour dédramatiser ses propres paroles, et ébouriffa d'un geste tendre la chevelure de Gladys.

– Des grands mots, tout ça… Ce masque de Zerbinette te va très bien, tu sais. Tu es un beau brin de fille. Tu sais chanter aussi ?

Gladys porta la main à sa gorge. Chanter ? Mais oui… Elle avait déjà chanté. Une seule et unique fois. Juste avant que…

— Gladys ? s'inquiéta Bao Van, qui voyait la jeune fille s'assombrir drôlement. On va visiter les lieux. Je vais te présenter à Pavel, mon fils. Il a ton âge. C'est mon assistant. Mais c'est aussi avec lui que tu iras au lycée...

— À l'école ? s'écria Gladys, effarouchée.

— Je vais te servir un petit déjeuner et puis je vais t'expliquer. Tu vas m'écouter sans trop t'affoler. Tu ressembles parfois à un oiseau pris dans un filet.

— C'est... c'est la balle fichée dans mon cœur... Je ne la contrôle pas.

— Oui, l'infirmière m'en a parlé. Une bien étrange blessure. Un jour, tu la laisseras guérir en toi.

Gladys s'impatienta de nouveau. Parler de sa balle avec cette désinvolture, du seul objet qui la rattachait à son passé ! Elle préféra changer de sujet.

— Comment connaissez-vous Varvara ?

— Longue histoire... et très simple à la fois. Les gens qui aiment les marionnettes et le théâtre forment une grande famille. Tout autour du monde. On se connaît, on se soutient. La vie est parfois si cruelle pour nous, les saltimbanques. Varvara est une grande artiste. Je l'ai rencontrée avant qu'elle ne fasse le choix de partir pour l'orphelinat, pendant une tournée soviétique du Theatrum... Tiens, voilà Pavel !

Dans l'encadrement, une tête se glissa, espiègle. Une belle tête de faune, toute brune. Un corps fluet, presque un corps de fille. Mais plus grand qu'une fille, se dit instinctivement Gladys.

– Bonzour, mam'zelle ! entonna-t-il joyeusement.

– Bon… bonjour, répondit Gladys, le souffle court.

Bao Van sourit et déclara en poussant Gladys vers la cuisine :

– Tournée de café pour tout le monde ! Ensuite on parlera !

Bao Van mena Gladys jusqu'à une grande salle remplie de lumière. Tout autour, les placards innombrables d'une cuisine de château. Dans le fond de la pièce, un comptoir jonché de pelures d'agrume. Gladys fit un pas, puis s'arrêta aussitôt. Autour de l'immense table centrale, il y avait une bonne douzaine de personnages. Tous étaient silencieux. Avec des gueules plus étranges les unes que les autres. De quoi se troubler un tantinet, d'autant plus que chacun d'entre eux fixait la pauvre jeune fille d'un regard pénétrant. Bao Van prit Gladys par la main et la poussa doucement sur le devant de la « scène ».

— Gladys, voici la troupe ! Et vous, voici Gladys !

La troupe ? On aurait plutôt dit des pirates ! Des visages burinés, brûlés de sel, des faces rougeaudes, épatées, tordues… Même les trois femmes avaient l'air d'avoir mille ans, avec leur résille dans les cheveux et cette couche de blanc étalé sur la peau.

Gladys hésita. Son corps demeurait figé. Les autres ne cillaient pas. Voyant que le silence risquait de s'installer, Bao Van resserra son peignoir et prit en main la situation.

— Quel accueil ! On dirait un banquet de brigands ! Vous allez lui faire peur. La petite est une amie de Varvara. Elle va vivre avec nous, et vous allez lui faire la place qu'elle mérite.

À ces mots, il y eut une sorte de relâchement. La tension qui régnait s'évanouit aussitôt. Un bourdonnement approbateur remplit la pièce.

Gladys s'approcha pour s'installer. Elle eut l'impression d'ouvrir la mer Rouge en se rendant jusqu'à la table.

— On ne voulait pas te faire peur, Mirette. On t'écoutait…

Gladys, assise toute droite sur son banc, se tourna vers son interlocuteur, un petit homme très ridé aux yeux bons et pétillants.

— Mais je ne disais rien…

— Ah, toi, non ! Mais ton corps, lui, il a parlé !
Il s'agit de présence, jeune fille…

Gladys voulut répondre qu'elle ne comprenait
rien à ce que le bonhomme racontait et qu'elle
aurait bien voulu savoir pourquoi on l'appelait
« Mirette » tout à coup, mais Bao Van arriva, le pot
fumant de café chaud dans la main droite, et un bol
breton dans la main gauche.

— Bienvenue au Théâtre du monde ! dit-elle en
servant le liquide bouillant dans son récipient.

Puis Bao Van dressa, tout en servant, la liste des
membres de la troupe. Gladys écouta attentivement,
mais au bout du troisième nom elle avait oublié
le premier.

Il y avait Roman, Tico et Drelin (dans la catégo-
rie « vieux de la vieille », peau tannée, expérience
vaste et variée de tous les types de rôle). Ils interpré-
taient les rois, les vieillards amoureux ou les pères
tyranniques. Gladys leur trouva un air noble sous
leurs oripeaux banals.

Armand, Pétrone et Clémenceau, plus jeunes,
mais quand même mûrs, jouaient les princes, les
chevaliers, les amoureux éconduits. Ils se signalaient
par des carrures d'athlète et de (fausses ?) moustaches

géantes. Clémenceau voulut marcher sur les mains pour impressionner la gamine, mais il était interdit d'acrobatie (en raison d'événements passés qui avaient encore l'air de soulever beaucoup d'hilarité).

Danaé, Loupiote et Virginie faisaient tous les rôles de femme, avec Bao Van, bien sûr. Elles riaient à tout bout de champ et secouaient leurs jupons en cadence pour ponctuer le discours de la « chef ».

Enfin, Anton et Basilico étaient les jeunes premiers. Il n'échappa pas à Gladys qu'Anton avait les yeux très verts. Et Basilico, les yeux très bleus.

Quand Bao Van eut terminé sa longue présentation (elle ajoutait des anecdotes sur chacun, suscitait un rire, caressait une épaule, encourageait du regard), tout le monde applaudit gaiement. Gladys, elle, ne savait plus quoi penser. Quelques minutes auparavant, elle avait été frappée par leur laideur, leurs bouilles d'enfer, leurs tronches en biais. À présent qu'elle les avait bien regardés, elle les trouvait tous beaux. Étranges, mais beaux. À les voir discuter ainsi, rire et sourire si franchement, il y avait du bonheur, pour sûr. Et puis le vrai point commun entre eux, ce n'était pas physiquement qu'ils le partageaient. Leurs parcours de vie, même résumés sommairement par la « patronne », étaient un immense saut d'obstacles, un raidillon à gadins. Pas un qui ne fût cabossé, maltraité, usé par la vie… et, pourtant, quelle joie de vivre !

Elle but une gorgée de café et se mit à songer. À qui lui faisaient-ils penser ? C'était obscur, comme enfoui au fond d'elle. Tout d'un coup, elle s'exclama :

— Kislovodsk !

Ce à quoi l'assemblée répondit :

— À tes souhaits !

Gladys rougit, tout heureuse. Elle venait de comprendre quel souvenir ces gens lui évoquaient : les orphelins de Kislovodsk ! Cette bande de galeux au cœur d'or… Les comédiens étaient des orphelins qui avaient grandi. Cette découverte versa un baume infini et inespéré sur le pauvre cœur percé de Gladys.

— Je me sens déjà bien, ici. Merci de m'accueillir, s'entendit-elle prononcer, presque dans un rêve.

Bao Van, qui était en train de mordre dans un croissant, s'arrêta net et souffla un petit baiser en direction de la jeune fille.

— Sois la bienvenue, Gladys, dit-elle.

— Sois la bienvenue ! répétèrent-ils tous en chœur.

Sur un coin du comptoir, Gladys aperçut alors le bocal de l'hippocampe trônant au milieu des oranges pressées. Elle l'observa un instant, pleine de tendresse. Son cœur résista au flot de tristesse qui cherchait encore à la submerger. Bao Van avait raison : sa blessure pouvait guérir. Gladys avait repris confiance. Vova était vivant, et sa famille était ici. Il ne restait plus qu'à le retrouver.

CHAPITRE 14

La fée au chapeau de clarté

Vova passait depuis quelques semaines toutes ses nuits avec Aurélia. Il guettait chaque coucher de soleil avec l'appréhension d'un romantique. Le cœur serré, rempli d'angoisse. Chaque fois que le ciel obscurci se couvrait enfin d'étoiles, l'espoir renaissait en lui, celui de revoir Aurélia, cette fille-fée dont l'image vibrait au fond de lui comme la peau veloutée d'un tambour, comme l'effleurement d'une paume sur une joue satinée. Sa *fée au chapeau de clarté*.

C'est ainsi qu'il l'avait baptisée, depuis qu'elle lui avait lu ce vers de Stepan « mal armé », un poète français dont elle récitait parfois des sonnets au clair de lune, l'air émue. Aurélia le stupéfiait par sa vaste connaissance des écrivains, des savants, des gens intelligents. Lui n'était pas intelligent. Elle lui répétait que si, mais il ne la croyait pas. Il n'avait pas d'esprit.

Il ne connaissait rien, il n'avait rien appris. Un grand blanc remplaçait sa conscience, remplissait son passé. Il se sentait comme un enfant, un colosse rapetissé aux pieds de sa maîtresse. Il était stupide ; comment pouvait-elle ne pas le voir ?

Surtout, il était mauvais jusqu'à la moelle. Personne ne pourrait l'aimer, jamais, pas même elle. Il était parfois saisi de telles crises qu'il en oubliait même l'amour qu'Aurélia lui jurait, les serments qu'elle lui faisait, les tendresses qu'elle lui témoignait. La colère d'être si mauvais débordait dans ses nerfs, et dans ces moments-là il demeurait prostré, les poings serrés, les dents comme un étau. La culpabilité le frappait avec la force de la foudre, et il aurait pu se tuer pour s'arracher un peu de répit. Quand cela arrivait, même Aurélia, patiente et blême auprès de lui, ne parvenait pas à le soulager. Elle épongeait son front, lui donnait à boire, s'agrippait à ses mains d'aveugle. Vova, au comble de ces malaises, préférait s'enfuir pour ne pas s'exposer à son aimée. La seule personne qui le retînt encore au monde.

— Tu es déprimé, Vova. Laisse-moi t'embrasser, disait-elle vainement.

Certaines nuits, pourtant, étaient magiques. Aurélia venait le chercher à la fenêtre. Elle lui chantait cette berceuse russe du premier soir. Elle portait sa robe de nuit blanche et laissait flotter ses longs cheveux. Quand il était monté, elle l'embrassait, le cajolait… Ils parlaient pendant des heures. Elle lui faisait la lecture, lui apprenait les informations venues du monde extérieur, du vaste monde, au-delà de la rue. Elle avait réussi à obtenir de son père, pourtant si dur avec elle, qu'il l'abonnât à différents journaux étrangers. Elle gardait, dans un petit placard derrière son lit, un peu de beurre, une miche de pain et un pot de confiture (de fraises). Ils faisaient un festin. Tout était facile et léger. Mais le lendemain, tout était à rebâtir. L'humeur de Vova était si fragile. Sa gaieté si fluctuante.

Il ne lui avait pas encore parlé de Gladys. Il hésitait, craignant de l'effrayer. Il y avait d'ailleurs tant de sujets qu'il n'osait aborder.

Pour lui faire cet aveu, il aurait fallu revenir sur les dix derniers mois d'errance, de misère et de violence brute que Vova avait traversés depuis la mort de sa sœur. Le soir où tout était arrivé, ce soir maudit entre tous, Vova était d'abord resté prostré près du corps ensanglanté de Gladys. Vova ne se souvenait plus de tous les détails. Il ne voyait plus que quelques images décousues, qui claquaient dans son cerveau comme un coup de fouet. Vova avait réagi en animal sauvage. Un bloc de pur instinct. Il avait frappé, le plus fort possible, les visages autour de lui, des poings et des pieds. Et il s'était sauvé.

La première semaine, il avait vécu comme un chien, dans les poubelles des autres, dans les cours abandonnées, dans les entrées d'immeubles désaffectés. Sa rage ne diminuait pas. Dès qu'il croisait un être humain mâle, c'était la guerre. Vova se battait jusqu'au sang. Dans la rue, sa réputation grandit rapidement et finit par le précéder. On l'appelait Zolotoï, ce qui signifiait « d'or ». Il s'établit quelques jours dans une cabane, au fond d'une zone de chantier. Absolument seul, il n'en sortait que pour trouver sa nourriture et se battre, encore et encore. Un jour, alors qu'il rentrait de l'une de ses expéditions, il s'aperçut que des policiers en civil rôdaient autour de sa cabane. C'en fut fini de son abri. Pour rien au monde il ne se serait rendu. Seule solution : la fuite.

Avec le temps, Vova trouva des points de chute dans différentes régions. Il voyageait la nuit et dormait la journée. Il sillonna le pays, de grange en bergerie, de cave en grenier. Partout, il gagnait le respect des gens de la rue par sa dureté, son intransigeance, son silence. Durant toute cette période, l'idée de retrouver sa mère ne lui vint pas. C'était à cause d'elle, au fond, qu'il endurait tant de souffrances. La mort de Gladys aussi. Si elle ne les avait pas abandonnés, rien de tout cela ne serait arrivé…

Et puis un jour qu'il errait, perdu dans les rues sombres d'une ville inconnue, il l'avait aperçue. Elle.

Sa beauté rayonnait dans l'encadrement de la fenêtre. Elle chantait doucement une complainte déchirante. À l'écouter, toute sa haine l'avait quitté, le temps d'un instant. Jamais, depuis le drame, il n'avait senti son cœur battre de cette manière. La jeune fille avait une voix chaude et mature qui contrastait avec son corps presque transparent. Elle était apparue à Vova comme une sylphide. Ce sentiment l'avait laissé aussi neuf qu'un enfant. Mais au moment même où Vova se sentait transporté par ce délice si nouveau, un homme était entré dans la pièce, une silhouette en colère, qui avait fait taire la jeune fille. Vova avait observé, sans mot dire, encore sous le charme. L'homme avait secoué l'adolescente par le poignet. Et avait refermé vivement la fenêtre. Quelques cris étaient parvenus jusqu'à Vova, qui fit à ce moment précis le serment de délivrer sa princesse enfermée.

Si, dans la rue, il continuait à être Zolotoï, le

bagarreur craint et respecté, il voulait auprès d'elle
retrouver la pureté perdue. Son âme.

*
* *

Les deux amants étaient couchés, l'un contre
l'autre, à la lueur de la lune haute. Ils respiraient pai-
siblement. Aurélia guettait cette occasion depuis de
longues semaines. Elle espérait pouvoir parler avec
Vova. En savoir davantage sur ce qui le torturait.
Il l'avait si longtemps tenue à l'écart de ses pensées.

— Tu as vécu en Russie, n'est-ce pas ? Dis-moi…
Comment c'était ?

Vova se redressa. Son souffle s'était brusquement
emballé à cette évocation. La jeune fille redoutait ces
changements d'humeur chez son aimé. Elle débita
aussi vite qu'elle put :

— Vova… J'ai besoin que tu me parles. Que tu me
racontes qui tu es. Tu es si joyeux, parfois, et si triste
à d'autres moments. J'en sais si peu. Mon cœur
saigne à te voir malheureux à ce point. J'ai…

— Je vais te parler, l'interrompit l'adolescent. Tu
dois savoir, tu en as le droit. Le moment est venu,
je crois.

Vova commença son récit par les palissades de
Mémé, au fin fond du Caucase. Il évoqua le chat

Atchoum, dans un sourire. Il prononça enfin le nom de sa sœur.

— Elle s'appelait Gladys. Elle te ressemblait beaucoup.

Vova craignit de ne pouvoir achever. Mais le regard bleu d'Aurélia le soutint. Il évoqua avec elle l'orphelinat, les marionnettes. Les courts instants de bonheur et les grandes privations. Les enchantements et les désillusions. Aurélia mesura l'amour fou de Vova pour sa sœur. Loin d'en être jalouse, elle ressentait une profonde admiration. Comme elle aurait voulu la connaître, cette Gladys au front pur, à l'imagination infinie !

— Elle était la chaleur, la gaieté. Son esprit vit en toi. Voilà pourquoi je t'aime, chuchota le garçon en serrant Aurélia tendrement.

— Continue, mon chéri…

Vova s'assombrit. Il fallait évoquer la suite.

— Nous avons été adoptés, un jour, à la fin d'un été. Nous croyions avoir connu le malheur, mais c'est à cet instant qu'il s'est réellement abattu sur nous.

Vova raconta les Baldessari. Les séparations, les humiliations, leur condition d'esclaves. Il raconta l'hippocampe, les lettres. Il raconta la nuit où la balle avait ouvert le cœur de Gladys. Aurélia l'écoutait attentivement, accompagnant de ses caresses le long aveu de son amant.

— Et depuis, tu es devenu un chevalier errant…

— J'étais sans foi ni loi avant de te connaître. À présent, tu es ma raison de vivre.

Aurélia baissa les yeux. Vova avait une intensité qui rendait tous ses propos tendres et charnels.

— Et ta maman ? Tu sais où elle est à présent. Tu pourrais la retrouver…

Vova enlaça Aurélia. Après tout ce qui venait de se passer, il se sentait capable de retrouver sa mère. C'était un tel soulagement. Un lourd fardeau venait de le quitter.

— Aurélia, je te le promets, je te délivrerai… Ton père…

— Mon père n'est pas le monstre que tu crois. Un jour, nous partirons ensemble, toi et moi. Pour l'instant… Laisse-moi lui parler.

— Peux-tu lui pardonner ? répondit Vova en saisissant la petite main d'Aurélia dont le poignet bleuté portait la trace des violences de l'amour paternel.

Aurélia, de nouveau, baissa les yeux et sourit.

— Je suis plus forte que mes blessures, Vova.

Les rayons du petit matin percèrent la dentelure des rideaux. Il fallait se séparer, l'aurore pointait.

Vova et Aurélia s'embrassèrent profondément. Ils étaient mutuellement reconnaissants de cette vérité enfin dévoilée. Ils sentaient que leurs cicatrices pourraient se refermer. La confiance qu'ils avaient l'un dans l'autre les soudait plus que tout au monde.

CHAPITRE 15
Illusions comiques

— Qu'est-ce que je dois faire ? demanda, pétri-
fiée, Gladys à la cantonade.

— Tu ne fais rien. Justement, c'est ça, le truc. Tu
te détends ! lui répliqua une voix dans la pénombre.

Gladys se tortillait comme un ver sur son tapis de
sol. La salle d'échauffement lui paraissait un cube
sans âme. Elle n'osait pas regarder, mais elle sentait
autour d'elle la présence des autres comédiens. Elle
n'y trouvait pas sa place, elle se sentait exclue du
bien-être des autres. Elle aurait préféré affronter mille
morts que ce moment humiliant. Et inutile, ajoutait-
elle dans sa tête.

Ça va durer encore longtemps ? J'étouffe, je suis
seule, j'ai besoin d'aide, se demandait Gladys sans
oser le dire tout haut.

La voix de Bao Van s'élevait, psalmodiant des chants inconnus. Toute la troupe réagissait de manière impalpable, comme un grand corps fait d'une même pâte.

— Votre esprit est une boule de chaleur qui irradie vos doigts de pied, susurrait la prêtresse au peignoir safran.

Au fond, Gladys enrageait. Elle n'était pas à la hauteur, même pour une simple séance de relaxation ! Son corps tendu refusait de lâcher prise. Dans l'obscurité — Gladys en était persuadée —, on la regardait échouer, on se moquait d'elle !

— Gladys, ma chérie, prends ton temps. Ne cherche pas à te détendre si tu n'es pas prête, tenta de la rassurer Virginie, sa voisine de tapis.

— Je ne comprends pas à quoi ça sert, ce yoga. On est censés faire du théâtre, non ? lâcha Gladys en se retournant vivement.

Virginie gloussa, une main devant la bouche.

— Mais le théâtre, c'est autant une discipline du corps qu'un exercice de contrôle de l'esprit… Le yoga nous apporte cela.

— Je n'y arrive pas ! s'exclama Gladys.

Un concert de « chut ! » accueillit son éclat.

— Pardon, répliqua-t-elle, contrite.

— Tu dois te pardonner beaucoup. Le théâtre te permet de faire le vide, de t'oublier, mais aussi de t'aimer… C'est paradoxal, mais ça marche. Crois-moi !

Gladys était renfrognée. Mieux vaut attendre que ça passe, sans me faire remarquer, se disait-elle, pas du tout soulagée par les conseils de son amie.

Au bout d'un moment, la lumière revint. Bao Van s'approcha de sa protégée.

— Tu as eu du mal avec la relaxation ?

Gladys, en tailleur sur son tapis, hocha la tête piteusement. Bao Van sourit. Autour d'elles, les autres s'étiraient, faisaient des salutations au soleil. Leur souplesse énervait Gladys, raide comme un bout de bois sec.

— Tu dois te pardonner…

— Est-ce que vous vous êtes donné le mot ? Virginie vient de me sortir le même couplet ! hurla presque la jeune fille, provoquant un léger murmure interrogateur parmi ses compagnons.

Bao Van se gratta le crâne.

— Ce que je veux dire, c'est que tu as le temps. Rien ne t'oblige, rien ne te force. Tu n'es plus la poupée de qui que ce soit. Tu peux t'accrocher à ton malheur, ou bien décider de faire un pas de côté…

— Un… Un pas de côté ?

— Oui ! Tu peux décider que cette bulle de tristesse n'est plus ton habitat. Que tu sors de cette maison. Rien ne t'oblige à y vivre. Tu comprends ? Tu peux faire un « pas de côté » et décider que ta vie t'appartient

Gladys saisit ses chaussettes, le front plissé. Elle réfléchissait.

— Gladys ? s'inquiéta Bao Van devant le mutisme de la jeune fille.

— D'accord. Continuons. Je te fais confiance, lâcha Gladys dans un souffle.

Bao Van se releva, ravie. Elle claqua dans les mains pour appeler l'assistance.

— Votre attention, s'il vous plaît ! On va faire des exercices. Formez des binômes. Pour la première séance de notre Gladys, on va jouer un peu…

Des murmures joyeux s'élevèrent.

— Le feu et l'air ! dit Drelin.

— La statue ! renchérit Basilico.

— Non, non ! La locomotive à vapeur ! assura un troisième larron non identifié, dans le fond de la salle.

Bao Van croisa les bras. Elle avait déjà son idée.

— L'aveugle ! Tout simplement, déclara-t-elle, les yeux mi-clos.

Aussitôt, sans discuter, les groupes se formèrent. Virginie s'approcha de Gladys qui restait stupéfaite, les bras ballants et l'œil en vrille.

— Mets ce bandeau et laisse-toi faire…

Aussitôt dit, aussitôt fait, le noir se fit. Plus de sens visuel. Gladys en eut le cœur effroyablement serré. Sa balle grésillait au creux du labyrinthe d'artères. Cela avait été trop rapide. Elle cherchait à dominer sa peur, mais l'obscurité du turban la prenait par surprise. Immédiatement, des sentiments d'extrême vulnérabilité l'assaillirent. Les ténèbres qui l'enveloppaient faisaient surgir de très vieux démons. Pendant quelques secondes, se superposèrent des instants d'atroce abandon : Gladys se vit sur la couchette de son lit en fer, à l'orphelinat. Elle sentit à nouveau la solitude des dimanches après-midi chez les Baldessari. La panique se leva comme une houle. Allait-on la bringuebaler, comme on l'avait toujours fait auparavant ? Allait-on la manipuler comme une vulgaire marionnette, investir son intimité ? Puis la main fraîche de Virginie la saisit. La bouche collée à l'oreille de Gladys, la jeune femme rassurait son « aveugle » comme on calme un cheval à dompter.

– Chhhhh… Je vais te guider. Laisse-toi faire !

Les premiers instants furent l'équivalent d'un saut dans le vide. Le premier pas en particulier. Gladys, peu à peu, cessa de se cabrer, de ramener des souvenirs douloureux. Le vide qui se fit en elle l'étonna. La voix de Virginie l'apaisait, étouffait ses peurs. La balle devient plus froide, plus neutre. Des images paisibles emplirent son esprit : les champs de blé qui s'étendaient à perte de vue derrière la bâtisse de l'orphelinat, les rivières d'eau froide qui les sillonnaient, le visage de son frère souriant tandis qu'il animait les pantins… Une confiance nouvelle envahissait son corps tout entier.

– N'aie pas peur ! continua Virginie.

– Je n'ai pas peur… Je n'ai plus peur, affirma Gladys.

Quand l'exercice fut terminé, Gladys se rangea en tailleur dans le grand cercle que formaient les comédiens. Elle était calme. Une source coulait en elle, pleine de chaleur. Bao Van lança un sujet d'improvisation. Gladys ne souhaita pas participer, mais elle observa de toutes ses forces. Anton et Loupiote se livrèrent à une scène de ménage hilarante. Ils furent bientôt remplacés par Clémenceau et Drelin, très en verve, qui mimèrent un débat municipal échevelé.

Virginie fut Lorelei ; Basilico fut monsieur Dandin. Chacun prit un plaisir non dissimulé. Tout était permis. Tout était beau et fou ! Gladys battit des mains, en essuyant ses larmes.

Gladys prit part aux échauffements suivants, et peu à peu sa joie grandit, sa confiance devint une forteresse. Elle aussi, elle fit rire et pleurer l'assistance. Durant des mois, le théâtre opéra son pouvoir magique de guérison. Gladys devint une personne à part entière. Peu à peu, le petit plomb fiché dans son corps se laissa dissoudre et se fit oublier. Cependant, jamais le souvenir de son frère ne la quitta. Elle jouait pour lui, et chaque soir, au fond de sa couchette, sous le baldaquin, elle lui racontait sa journée, le nez vers les étoiles.

*
* *

C'était au mois de janvier, en plein milieu de l'hiver.

Le décor était planté, très simple sur la grande scène repeinte en noir. Les accessoires monumentaux, qui figureraient l'île et ses immenses dunes, les nuages mouvants en arrière-plan, et la mer comme point de fuite, étaient symbolisés tout bonnement par une croix. La scénographe travaillait encore sur certains détails, et les comédiens ne répéteraient dans les décors définitifs qu'à la toute fin, au moment où les représentations seraient imminentes. D'ici là donc, il fallait se contenter d'imaginer. La troupe avait fait les essayages des costumes, mais là encore il faudrait s'armer de patience. Encore une semaine avant la grande première.

Gladys se tenait sur le même strapontin, au fond de la salle, depuis plusieurs heures. Elle écoutait et observait, goûtant la magie pure des répétitions. Dès qu'elle avait vu les spots s'allumer, Gladys avait compris : sa vie reprenait son fil, là même où il avait été rompu. Ce que Renata Baldessari avait tranché, Bao Van Bui le renouait. Un petit nœud avait suffi, lié par des doigts habiles, habitués aux blessures intérieures, aux points de suture de l'âme.

Varvara… Le souvenir de la marionnettiste lui revenait sans cesse. Quel ange gardien la vie lui avait apporté ! Grâce à la magicienne aux couettes roses, son existence trouvait à nouveau son sens. Bao Van était si incroyablement apaisante, si respectueuse. Gladys avait rencontré une famille, enfin, celle du théâtre ! Sa famille… Cette pensée lui serra le cœur. Où était Vova ? Comment faire pour le retrouver ?

La jeune fille, comme son frère de son côté, redoutait d'aller à la rencontre de cette mère qui les avait livrés à tant de malheurs. 17, rue des Orcus. L'adresse lui tournait dans la tête, mais elle ne se décidait pas à faire les recherches nécessaires. Bao Van lui avait pourtant proposé de l'aider.

— À toi, chérie ! Monte sur la scène… Tu as travaillé ? Tu veux encore t'échauffer ou tu peux tout de suite nous montrer ce que tu as fait ?

Gladys demeura quelques instants recroquevillée sur sa chaise, sourde aux demandes de Bao Van. La petite avait les yeux fermés. Ses longs cheveux, étaient brossés en chignon. Elle portait une robe rose de châtelaine.

Bao Van enleva ses lunettes et insista :

— Gladys ?

Dans sa tête, Gladys répétait chaque geste et chaque parole de son rôle, et revoyait en pensée les mouvements, la chorégraphie de ses déplacements. Elle se gonflait de sa Miranda, comme une voile sous un grand vent. Dans la discipline du rôle, Gladys devait se sentir libre, sentir son corps bouger en toute liberté. Il s'agissait de se tisser un corset d'air et de chair, une armure immatérielle qui la ferait voler.

C'était cela, vivre, à présent. Laisser la source fluide l'inonder et tout accepter, sans réticence.

– Oui ! finit par répondre Gladys. Oui, je suis prête.

Elle grimpa sur les planches, sous le regard de Drelin, de Clémenceau et d'Anton.

– Très bien, messieurs. En place…

Drelin, drapé de velours pourpre, la barbe immaculée, étalée noblement sur son pourpoint, brandissait la baguette de Prospero ; Clémenceau, en slip et recouvert de farine blanche, jouait Ariel. Ses cheveux collés et ses yeux lourdement maquillés en faisaient un dieu Pan ailé, musculeux et inquiétant quand il jouait, rigolo et vaguement balourd lorsqu'il était au repos.

– Anton, tu es Fernando. Miranda t'aime dès le premier regard.

Anton décocha une œillade mouillée à Gladys, qui ne cilla pas. Elle était entièrement vide, telle une poupée inanimée, en attente du souffle des mots. Ce n'était déjà plus Anton rencontrant Gladys, c'était Miranda jetant pour la première fois un regard sur Fernando.

Qu'est-ce ? Un esprit ? Seigneur, comme il regarde autour de lui…

— Bien! Souple! Arrondis tes coudes... Tu dois incarner un courant d'air!

En vérité, monsieur, il a belle tournure...

— Plus appuyé, le «monsieur», mets-y un trémolo... Compte jusqu'à trois (un, deux, trois) et continue. Ça crée l'effet désiré.

Bao Van avait l'air si assurée! Elle impressionnait tout le monde par sa maîtrise des effets. Son esprit était un magasin d'accessoires et un vrai sac à trouvailles.

— Quel effet veut-on? demanda Anton, authentiquement curieux.

— Le grelot de la voix sonne l'*innamoramento*.

— Le quoi?

— Le coup de foudre, triple buse! Et la pause imperceptible, eh bien, ça magnifie! Hop! On enchaîne.

Gladys sourit et enchaîna. Elle jeta un coup d'œil au lustre de la salle, un bel assemblage de longues lames de verre.

Bientôt, on sentirait leur tremblement, bientôt ce serait *La Tempête*.

— Je peux dégrafer ta robe si tu veux, proposa Pavel en dardant sur Gladys ses yeux de chat.

Il était entré dans le costumier comme à son habitude, sans crier gare. Souple et élastique, Pavel se mouvait avec la grâce d'un vent coulis.

— Tu sais bien que c'est Virginie qui dégrafe ma robe, répondit la jeune fille, impassible.

Pavel déjà s'approchait des rubans.

— Je suis hypnotisé par ta peau… déclara-t-il effrontément.

— Ma peau ? murmura Gladys d'une voix un peu brisée. Je ne comprends pas…

— Ta nuque, laisse-moi y poser un baiser !

Gladys se retourna vers le feu follet. Elle plongea ses yeux dans les siens. L'innocence brillait comme des éclats de lune dans ses prunelles de vierge.

— Pavel, tu aimes aussi Loupiote ? Elle m'a dit que tu l'avais embrassée hier…

Pavel fit mine de recevoir un uppercut à l'estomac, doublé d'un crochet au menton. Il s'écroula aux pieds de Gladys.

— Loupiote ! Tu m'assassines !

Il fit un roulé-boulé vers la sortie, plus rampant que glissant, mimant une peste bubonique (sévère).

Gladys éclata de rire et se remit à son miroir. Elle

devait se démaquiller après les répétitions. Involontairement (elle ne voulait pas céder à la tentation de se contempler), elle observa son visage dans la glace. Comme elle était rose et blanche ! Très jolie, il fallait le reconnaître. Plus de traces de gris, plus de cernes, plus de creux, plus de larmes. Dans le cadre, son minois s'affichait, tendre et frais.

Bao Van entra, claquant des talons, un cigare fin fumant entre ses lèvres rouges. Son air soucieux n'échappa pas à la jeune fille.

— Tu es stressée ? demanda Bao Van.

— Non. J'adore ça. Toi, tu es anxieuse ? susurra Gladys en appliquant le coton démaquillant sur ses pommettes.

La dame en noir tira une longue bouffée de son cigare.

— Pas le moins du monde, mentit Bao Van. Dis donc, le prof de maths vient d'appeler et il m'a fait part d'un certain nombre de griefs à ton endroit. Tu connais notre contrat. Tu participes à notre pièce, mais tu dois faire tes preuves au lycée.

Gladys regarda brièvement ses pieds. Elle voyait tout à fait le genre de griefs : absentéisme sauvage, je-m'en-foutisme invétéré, lecture ostentatoire en fond de classe, innocence absolue dans le mal.

— Je vais faire des efforts.

Bao Van s'assit. Elle attendait plus que ce timide amendement.

— Je vais faire des efforts, je te le promets. Tu as des nouvelles de Vova ? ajouta Gladys pour changer de sujet.

Bao Van fixa un instant la jeune fille. Elle semblait hésiter :

— Non, répondit la dame au cigare.

Gladys ne dit rien. Elle était habituée à être déçue. Cependant, elle ne parvenait pas à s'expliquer le sourire que Bao Van arborait depuis quelques secondes.

— Pourquoi souris-tu tout à coup ?

L'actrice tira un peu sur son havane. Elle avait une déclaration à faire, cela crevait les yeux.

— Je n'ai pas de nouvelles de ton frère... Mais je sais dans quelle ville demeure ta maman. 17, rue des Orcus, à Thiais. Varvara lit mal le français, il faut croire. J'ai mis des jours à comprendre. Entre Savigny, Champigny et Thiais, tu m'avoueras qu'il y a un gouffre...

Bao Van essayait péniblement de dédramatiser son annonce par une touche d'humour maladroit. Gladys lâcha son disque de coton.

— Je ne veux pas y aller, répondit la jeune fille, défigurée d'angoisse et d'exaspération.

La balle qui s'était tue pendant des semaines sembla se ranimer sous le coup de la colère. Le plomb clignotait au fin fond du thorax, la clouant d'un mal de chien, ce qui n'arrangeait pas son humeur !

Bao Van soupira.

— Tu pourrais y croiser ton frère. Ça me paraît un point de ralliement plausible.

Gladys ferma les yeux. Que n'y avait-elle pensé !

Le bloc de glace fiché dans son cœur fondit tout à coup. Un morceau d'iceberg tomba à pic dans une mer d'eau glacée.

Le regard de Gladys plongea dans les nœuds du linteau de son grand miroir illuminé. Se pouvait-il… ?

— Tu as raison, Bao Van ! C'est évident ! Si nous devons nous rejoindre, Vova et moi, ce sera chez notre mère. C'est le seul endroit… Comme Hansel et Gretel revenant avec leurs trésors !

Gladys se leva sans plus attendre. Elle fit tomber sa robe de châtelaine d'un coup sec, enfila sa tunique de laine grise et son manteau de cuir, s'enveloppa dans son châle. Elle était encore maquillée, mais le temps était compté.

– Je t'appelle un taxi ? demanda Bao Van.

– Merci ! Tu es la meilleure !

CHAPITRE 16

Maître de moi comme de l'univers

Posté au coin de la rue du Beffroi, Vova attendait que le soleil se couche. Adossé à un lampadaire encore éteint, il se rencognait dans ses pensées. Le zip de son manteau de cuir relevé jusqu'au menton, il marmonnait au fil de ses songes. Tous étaient peuplés des deux femmes de sa vie. Aurélia et Gladys. L'une était la vie que l'on enterrait, l'autre celle que l'on avait détruite. La parenté entre ses deux amours lui était familière, ses pensées y revenaient toujours. Le visage de l'une se superposait à celui de l'autre, dans un jeu de miroir infini. Malgré ses efforts, malgré cette nuit où il avait partagé enfin ses secrets avec Aurélia, Vova sentait ses vieux démons le harceler de nouveau.

Vova en devenait fou. Il fallait sauver Aurélia. La délivrer de l'emprise de son père. Un deuxième échec le précipiterait dans la mort, il le savait. Sa vie ne tenait plus qu'au fil ténu que lui tendaient ses cheveux d'or, sa taille fine, ses bras blancs et souples comme la branche d'un saule. Pourtant, Aurélia lui demandait toujours du temps… Elle ne semblait pas prête à rompre brutalement avec son père, malgré tout ce qu'elle subissait. Vova soupira. Le froid glaçant de la soirée se déposait comme un givre sur ses joues. Il sortit les mains de ses poches pour les frotter. Il avait bien du mal à gouverner ses émotions. Il se voyait voguer sur des eaux très mouvantes, qu'il ne maîtrisait pas, qui menaçaient de le faire chavirer.

Un souvenir vaporeux comme une poignée de neige emplit tout à coup son esprit. C'était un souvenir de Gladys enfant. Vova fut surpris de retrouver des impressions si précises de ces moments passés. Il revoyait la longue rangée des lits en fer, à l'orphelinat, le long du mur lézardé. Il revoyait la nuit à travers les fenêtres à barreaux. Une lune phosphorescente, laiteuse scintillait, lui semblait-il alors, telle la couronne d'une reine de conte de fées. Gladys s'était glissée dans le lit de son frère, en cachette, pendant que la surveillante faisait sa ronde, tanguant et claquant des pantoufles. Ce soir-là… Vova cherchait à écarter les voiles qui le séparaient de son souvenir…

Ce soir-là, Gladys chantait. Cette voix ! Longtemps, il en avait banni le souvenir. À présent, il se sentait prêt à en laisser surgir la mélodie, comme un réconfort vital.

Les ombres du soir couleraient bientôt sur les contours de ce monde. Pour l'instant, dans cet éclairage entre chien et loup, Vova demeurait vulnérable comme un enfant. Il restait quelques minutes avant le coucher du soleil. Le réverbère s'alluma avec tous les autres, dans l'alignement de la rue. Bien sûr, ce n'était pas encore l'obscurité requise. Il lui faudrait attendre quelques heures pour pouvoir monter dans la chambre de son aimée. Vova s'avança cependant, timidement, sous les fenêtres d'Aurélia.

Un cri le fit sursauter. Son épine dorsale se raidit d'un seul coup. Aurélia était encore aux prises avec son père ; on entendait l'homme invectiver sa fille. Vova, ensorcelé, ne réagit pas immédiatement. Son amour l'avait conjuré de ne jamais intervenir, de demeurer dans l'ombre, quoi qu'il vît ou entendît. Mais les hurlements, par la fenêtre ouverte, étaient insupportables.

– Comment as-tu pu ! Traînée !

Vova crispa les poings et se rapprocha davantage. La nuit était tombée. Dans l'encadrement de la fenêtre, la silhouette fluette de son aimée était comprimée sous le bras de l'homme. L'ombre adulte, visiblement chancelante, tenait la jeune fille comme on serre un chiffon. Les insultes pleuvaient. Par la fenêtre ouverte, le père jetait les précieux magazines d'Aurélia. On les voyait atterrir par terre, déchirés dans un bruit sourd.

— Je te nourris, je te protège ! Je te donne tout ! Et tu trouves le moyen de me trahir ! Sale petite catin !

Une gifle retentit dans l'air clair du soir. Vova fut pris de panique. Sa pulsion était meurtrière. Il lui suffirait d'un bond pour se hisser comme une furie et assommer enfin celui qu'il considérait depuis si longtemps comme son ennemi. Mais il était partagé : Aurélia lui avait fait promettre de ne pas… Un gémissement d'Aurélia le décida tout à coup. Ses vieux instincts revinrent au galop dans son sang bouillonnant. Vova se précipita et, se servant de sa vitesse et de sa force pour s'accrocher aux linteaux, débloqua sur le balcon. On aurait dit une bête sauvage. D'un geste, il sépara Aurélia de son père. Celui-ci, éperdu, l'écume aux lèvres, s'effondra à ses genoux. Vova s'assura d'abord que son amie était saine et sauve.

— Vova ! Ne le touche pas ! clama Aurélia, essouf-flée, qui reprenait ses esprits.

Sans l'écouter, le garçon se jeta sur le corps de son rival. La colère était si intense qu'elle l'aveuglait, le rendait sourd. Le visage gonflé, les yeux injectés de sang, Vova était effrayant.

Le père recula, blafard. Vova le saisit au collet avant qu'il ne pût appeler ses gens. De sa poigne puissante il le lança sur le lit et bondit sur sa poitrine. Vova, déchaîné, sentait se libérer une onde de vio-lence indicible.

— Non, Vova, non ! criait Aurélia. N'oublie pas ta promesse !

Le son de cette voix chaude, aimée entre toutes, ne lui parvenait plus.

Tout ce que Vova voyait, c'était le visage apeuré de l'homme, ruisselant de larmes et de sueur, qui couinait sous ses genoux.

— Ne… me… tue… pas ! réussit à articuler le père.

Mais déjà Vova levait son poing, tel un marteau. Aurélia l'agrippa aux épaules, pour l'empêcher de frapper. La scène était suspendue à un fil.

Soudain Vova parut se reprendre. Il se redressa, laissant sa proie récupérer son souffle écrasé en même temps que sa pomme d'Adam. Aurélia regardait Vova. Quelque chose d'étrange venait de se passer en lui.

Sa respiration était courte, empêtrée comme celle d'un noyé. Des perles de sueur gouttèrent sur son front. Toutes les pensées qui le reliaient à la vie lui revinrent avec brutalité, dans un télescopage. Il revit sa babouchka, les poules et les chats de la cour, sous les palissades de bois. Il sentit les baisers de Mémé, le souffle du cheval gris sur sa joue, et tout de suite après, dans le même clignement, la force de la talonnade qui percutait son ventre, et la mort, injuste, de Mémé. Il se vit revêtu de la tunique rêche des orphelins, chaussé des galoches noires. En un éclair tout se percuta : les lits de fer, la salle des punitions, le gruau immangeable, l'haleine de Natacha Philipovna, les coups de règle, la faim, les privations, l'arrivée des Baldessari, ce jour maudit, et tous les jours qui avaient suivi, soumis à des monstres. Et cette longue fuite qui le menait jusqu'ici. Et puis…

Et puis…

Recouvrant cette litanie concentrée de malheurs, une mélodie se détachait, faisait naître des images de joies profondes : Gladys souriant, lui caressant le haut du crâne, là où les cheveux rasés frottaient comme une brosse en crin. Gladys jouant avec le soleil. Gladys tenant pour lui les marionnettes de Varvara.

Aurélia dans la pâleur des rayons de lune, Aurélia, frêle dans sa robe légère, Aurélia son aimée... Aurélia et Gladys, pour toujours, profils d'une même pièce, visages doubles de son amour.

Vova se prit la tête dans les mains. Son cœur rapiécé se recomposait enfin. Il se sentait porté par d'étranges rayons. Il eut la brève tentation de demander pardon. Mais à qui ?

Le colosse s'effondra au pied du lit, où le père accablé se tordait de honte et de douleur.

— Ma fille... sanglotait-il. Ma fille... Comment ai-je pu ?

Aussitôt, Aurélia accourut à ses côtés, la sueur collée à la chemise, les membres saignant sous les dentelles. Le pauvre homme sanglotait. Il sentait l'alcool.

— Papa... Je sais que tu as peur, que tu ne veux pas que je grandisse... mais regarde-moi ! Le deuil de maman doit se terminer. Je ne pourrai jamais la remplacer. Je veux vivre ma vie. Laisse... Laisse-moi partir.

En prononçant ces derniers mots, Aurélia pointa son doigt vers Vova, qui tremblait, colossal, au bord du lit d'ombre.

— Monsieur? Tout va bien? Quelqu'un a-t-il besoin de soins? entendit-on à travers la cloison.

C'était la gouvernante, affolée, qui venait aux nouvelles.

Le père se recroquevilla un peu plus dans les bras de sa fille. Il pleurait à chaudes larmes et demandait pardon :

— Plus jamais, ma chérie…

Père et fille, réconciliés, échangeaient des serments. Pendant ce temps, Vova vivait une transe très étrange.

— Que se passe-t-il? éclata l'adolescente.

Elle contemplait son amant, terrorisée par ce mutisme soudain, presque encore plus que par sa rage.

Maîtrisant sa force, domptant sa colère, Vova avait clarifié son cœur tourmenté. Ses pensées se dégageaient comme un ciel d'été. L'idée, resplendissante, lui apparut. Il eut, pour la première fois, la certitude que Gladys était vivante. Il lui fallait la retrouver.

— Chez ta mère! prononça gravement Aurélia qui avait suivi sur le front de son amant ces cheminements de l'esprit. Je sais où aller. J'ai cherché pendant ton absence. 17, rue des Orcus, à Thiais. Michaela Tchessnokova. Ta mère.

Vova tourna la tête très lentement. L'illumination venait de le terrasser.

— Veux-tu m'accompagner ?

— Si mon père le veut…

Quelques minutes plus tard, Vova et Aurélia se blottissaient l'un contre l'autre, à l'arrière d'un taxi. Direction Thiais.

CHAPITRE 17
Reconnaissances

Tunnel. Éclairage blafard et cruel. Longue suite zébrée des panneaux lumineux, des pancartes d'autoroute.

Feux rouges et verts. Accélérations et vrombissements du moteur.

Frictions des pneus sur l'asphalte.

— Ça n'a pas l'air d'aller, ma petite demoiselle ? demandait le taxi à tout bout de champ, inquiet de voir verdir sa cliente un peu plus à chaque seconde.

— Si, si, roulez, s'il vous plaît… articulait péniblement Gladys.

Le conducteur du taxi continuait sa course trépidante vers Thiais, pas très rassuré, le sac plastique aux aguets. Gladys, elle, combattait des émotions plus fortes qu'un simple mal des transports. Elle allait revoir sa mère. Cette mère qu'elle n'avait jamais connue. Malgré tous ses efforts, elle était incapable d'en concevoir le moindre contour. Un grand blanc remplaçait son imagination. Sa balle, compagne intermittente de son existence, oscillait du froid au chaud, sans se décider. Vers le bien ou le mal, vers la catastrophe ou la rédemption.

— Je croyais que tu étais partie, toi, murmura Gladys à la petite cartouche lovée en elle.

— Vous dites ? s'enquit le taxi, tous sourcils dehors.

— Rien, monsieur. Je parlais à ma blessure…

Le chauffeur haussa les épaules. Encore une de bien siphonnée !

La voiture prit la bretelle de Thiais.

— On approche !

Le GPS silencieux indiquait trois cents mètres. Gladys, décomposée, fixait ses regards sur l'écran phosphorescent, hypnotique.

Deux cents mètres.

Cent mètres.

Cinquante mètres…

— Vous y êtes ! lança le bonhomme, ravi de relâcher cette étrange passagère.

Gladys jeta un coup d'œil à travers la vitre. C'était

donc ici, dans ce pavillon de banlieue anonyme, que logeait cette femme inconnue et si capitale. Qui était-elle ? Une sorcière ou une reine oubliée ? Une sainte ou une ogresse ?

Gladys sortit et paya. En s'approchant, elle aperçut une plaque de laiton fixée sur la façade défraîchie : « Michaela Tchessnokova, couturière, brodeuse, habits de fête et déguisements. »

La porte d'entrée était ouverte.

Gladys osa un pas, puis deux L'intérieur était propre ; tout respirait le soin honnête et la pauvreté digne.

— Michaela ? Madame... Madame Tchessnokova ? ânonna-t-elle.

Personne ne répondit. Soudain elle remarqua, sur un fauteuil en résille d'osier décrépi, le foulard de Vova.

— *Boje Moï !* s'écria-t-elle. Et elle se mit à courir.

*
* *

Quand Gladys entra dans le salon tendu de rouge, elle poussa un cri d'effroi. Vova – son Vova ! – pleurait à genoux aux pieds d'une femme aux tempes grises. Tous deux se retournèrent vers elle.

Devant eux, la silhouette gracile d'une jeune nymphe aux joues roses, au chignon de danseuse et à la respiration haut perchée. Vova se dressa précipitamment, s'essuyant les yeux. Cette jeune fille était resplendissante.

Il avait quitté Gladys pleine d'embonpoint, de cernes et de mélancolie. Se pouvait-il qu'un tel miracle… ?

– Vova ? *Eta ti*[9] ? Vova ?

Gladys parlait spontanément en russe. Elle porta sa main à la bouche. Elle contemplait ce colosse au casque d'or, brisé d'émotions. À côté de lui, une belle jeune fille aux traits fatigués, une tresse sur l'épaule, la regardait en pleurant.

– Vova…

Tout s'était brouillé dans la tête du pauvre garçon. Il s'avança vers Gladys. Elle ne recula pas. Contemplant de tous ses yeux cette merveille, son frère retrouvé. Lui non plus ne la quittait pas. Il la buvait, il l'avait tant attendue. Brusquement, il l'enlaça en la soulevant de terre. La femme aux cheveux gris s'effaça pour observer ce tableau d'un autre monde. Dans les bras l'un de l'autre, le visage collé l'un à

9. C'est toi ?

l'autre, les jumeaux semblaient former un seul et même visage. C'était beau à couper le souffle. Ils revivaient enfin les retrouvailles interrompues tragiquement dans la cuisine des Baldessari, dix mois plus tôt.

– Mes enfants, dit simplement la mère. Toutes ces années, je…

Elle ne put achever. Le « texte » qu'elle avait si souvent répété dans sa chambre, en prévision de ce moment tant attendu, tant recherché, lui resta dans la gorge.

– Maman ! s'exclama Gladys, la première à se souvenir à nouveau que leur embrassade avait une spectatrice.

Elle l'avait appelée « maman », cette femme dont l'absence les avait pourtant si cruellement éprouvés. Gladys se détacha un peu de son frère. Michaela, le visage plein de larmes, offrait le tableau le plus touchant. Ses beaux yeux, rougis par les chagrins, avaient cette étincelle qui brillait dans le regard de Vova.

– Ne disons rien. Embrassons-nous… intima-t-elle sagement.

Plus tard, Vova présenta Gladys à Aurélia. Les jeunes filles, de même taille, se sourirent immédiatement avec tendresse. On aurait cru, à les voir, deux reflets d'un même miroir.

Épilogue

Le bruissement de la salle s'estompa. Trois coups venaient de retentir. Les éclairages, tels de grands flambeaux, donnaient à la scène un éclat fabuleux. On était transporté sur une île merveilleuse, au-delà du temps. Un navire échoué sur la grève, faite de cristaux transparents, se dressait en arrière-plan. Une grotte illuminée de rouge était placée côté jardin. L'équipage frappé par une pluie féroce luttait contre une tempête imaginaire. Le magicien Prospero présidait à ces enchantements.

Gladys, fardée comme une princesse, revêtue des atours scintillants d'une robe de lamé argent, attendait en coulisses son entrée en scène. Elle jetait à la dérobée de petits coups d'œil à la salle. Elle y cherchait son frère, sa mère et ses amis. Trois années avaient passé depuis les événements qui leur avaient permis de se retrouver sur une autre scène teinte en rouge comme les rideaux de ce salon de Thiais, sur les planches du grand théâtre du réel. Reprendre *La Tempête* trois ans après son aventure avec la troupe de Bao Van, c'était revenir à point nommé sur des souvenirs doux et tristes, forts comme la vie.

En trois ans, tant de choses s'étaient passées. Gladys était devenue une véritable, une grande actrice. Elle était encore très jeune et suivait avec son frère sa scolarité au lycée. Elle avait joué Nina dans *La Mouette* et la Célimène du *Misanthrope*. Deux rôles sur mesure, s'étaient exclamés les gens de son entourage. C'était vrai. Gladys avait cette grâce, cette justesse qui font les grandes interprètes. Sa peur de déplaire l'avait quittée, convertie en une foi inébranlable en son art, un art de la métamorphose où chacun de ses masques la révélait au grand jour.

Elle avait présenté Pavel à Vova, et les deux garçons étaient devenus amis. Quant à elle, malgré les assauts réguliers du fils de Bao Van, elle ne parvenait pas à répondre à cet amour qui s'était déclaré un jour, à la fin d'une répétition. Elle avait demandé du temps, en rougissant. Il lui en faudrait, en effet, pour reprendre courage au point d'aimer un homme.

Vova, au fond de la salle, attendait l'apparition de Gladys. Cette pièce était pour lui aussi un symbole.

Trois ans auparavant, il avait assisté à la représentation du Theatrum mundi. Voir sa sœur sur scène avait été le plus délicieux des spectacles. À la fin de la pièce, l'apaisement de Caliban, transformé par le pardon de bête malfaisante en esprit sage, l'avait touché au plus haut point. C'était exactement ce qu'il ressentait pour lui-même. Hypnotisé par les prestiges de Prospero, il serra plus fort la main délicate d'Aurélia, qui lui sourit dans l'ombre. La jeune fille vivait auprès de son amant une joie profonde. Michaela saisit à son tour la main de son fils, quand Gladys fit son entrée. Pour elle aussi, ce moment était très intense.

La femme éreintée, asséchée par des années de servitude, avait retrouvé sa taille élancée, sa santé et sa beauté. Elle travaillait à rendre sa famille honnête et propre. C'était son idée du bonheur. Elle cousait et brodait les costumes de sa fille, cajolait son fils, admirait le talent et la beauté de ses enfants. Elle renouait avec la tendresse et son rôle de mère.

Un jour, Vova écrirait des pièces que sa sœur et sa tendre aimée joueraient ensemble.

Derrière eux, Bao Van et Varvara se serraient tendrement. Les deux amies s'étaient retrouvées, elles aussi…

Bao Van souriait, enfoncée dans son siège comme

un oiseau dans son nid. L'histoire des jumeaux Gladys et Vova l'avait confirmée dans ses convictions les plus profondes. Les prestiges absolus du théâtre étaient seuls capables de réparer les plaies les plus profondes. Seuls avec l'amour, bien entendu... Elle serra la main de Varvara au moment où sa Miranda entrait en scène. Elle vit au même moment trembler la nuque de Vova et s'emplit le cœur de cette présence.

Glossaire

Baba Yaga. Sorcière traditionnelle des contes slaves. Sa maison est juchée sur une ou deux pattes de poulet.

Babouchka. Grand-mère.

Belomorkanal. Marque russe de cigarettes.

Iliouchine. Avion de transport russe.

Kacha. Bouillie de sarrasin.

Kéfir. Boisson à base de lait fermenté.

Kolkhoze. Coopérative agricole dans l'ancienne Union soviétique.

Miloï. Doux, aimé.

Moujik. Paysan.